PIERO CALMANTI ——————— CHIARA CALMANTI

Appuntamento a...

Folklore, Tradizioni, Storia, Gastronomia delle regioni italiane

EDIZIONI GUERRA

ISBN 88-7715-355-5
© Copyright 2000, Guerra Edizioni
Via A. Manna, 25
06132 Perugia (Italia)
htt:/www.guerra-edizioni.com
E-mail: geinfo@guerra-edizioni.com

Fotocomposizione e stampa:
Guerra guru srl - Perugia

Il viaggiatore che visita l'Italia ha l'opportunità di ammirarne mille aspetti, mille diverse realtà indimenticabili.

Incontra grandi città ricche di vita, di storia e di arte; scopre villaggi medievali dove il tempo sembra essersi fermato; è sorpreso da località nascoste nella campagna dominate da castelli o da chiese con meravigliose opere d'arte; visita paesini di montagna che sembrano usciti da un libro di fiabe e organizzatissime località sciistiche e termali; vede incantato le cime dei monti più alti d'Europa; percorre migliaia di chilometri di costa con numerose e attrezzate *stazioni balneari*.

Ognuna delle venti regioni italiane ha caratteristiche originali: il dialetto, le usanze, tradizioni a volte così antiche delle quali non si conosce l'origine.

Si cucina, poi, in modo diverso e si mangiano cibi differenti: per i sardi, ad esempio, una vera e propria delizia è il formaggio pecorino stagionato al punto da avere i vermi, ma esso non sarebbe apprezzato da un piemontese; del resto, un sardo non gradirebbe un piatto di rane fritte, di cui, invece, sono golosi molti piemontesi.

Anche i lavori artigianali, le feste religiose, i giochi e i divertimenti, le sfilate in costume storico, *le giostre, le sagre,* le danze popolari sono legati all'ambiente e alla storia locale.

A Marino, ad esempio, ogni anno ad ottobre si svolge la festa dell'uva; in Sardegna il carnevale di Mamoiada; ad Asti e a Siena il Palio; ad Assisi il Calendimaggio; a Venezia la regata storica; a Trento la polenta è la protagonista della festa tradizionale più importante della città.

Alcune zone sono note perchè vi si realizzano tessuti caratteristici di grande pregio; altrove si tramanda di padre in figlio l'arte di lavorare il vetro o il legno; in altre località si producono pregiati manufatti in ceramica.

Le differenze, a volte notevoli, anche fra città della stessa regione, hanno fatto nascere accese rivalità che hanno dato origine al fenomeno tipicamente italiano del *campanilismo*.

Appuntamento a ... vuole accompagnare il lettore in un ideale viaggio attraverso l'Italia per conoscerne ed apprezzarne la *variegata* realtà socio-culturale, senza tralasciare avvenimenti e percorsi che non sempre la cultura ufficiale ed il turismo di massa valorizzano.

Cibi, vini, rievocazioni storiche sono una memoria del tempo, degli eventi e dei personaggi che li hanno vissuti: una memoria che vale la pena di tener viva non solo per gli Italiani, ma anche per tutti coloro che amano e vogliono conoscere questo Paese.

Stazione balneare: località di mare attrezzata, organizzata per ospitare i turisti.
Giostra: gara di abilita' fra cavalieri.
Sagra: festa popolare dedicata ad un cibo (castagne, pesce, pizza, gelato).
Campanilismo: amore eccessivo ed esclusivo per la propria città, simboleggiata dal campanile della chiesa o del palazzo comunale.
Variegato: composto, vario.

◆ Questionario

1) Che cosa distingue una regione dalle altre?
2) Quale cibo apprezzano molto i Sardi?
3) Dove si svolge la festa dell'uva?
4) Dove si svolge la gara di tiro con l'arco?
5) Quale importante festa tradizionale si svolge a Trento?

◆ Vero o falso?

	V	F
1) In Italia ci sono i fiumi più lunghi d'Europa.	❑	❑
2) In Italia ci sono molte piste per sciare.	❑	❑
3) A molti piemontesi piacciono le rane fritte.	❑	❑
4) Nella città di Asti si svolge la festa dell'uva.	❑	❑
5) L'Italia è divisa in ventuno regioni.	❑	❑
6) Ogni regione ha tradizioni diverse dalle altre.	❑	❑

◆ Trovare delle espressioni che contengano le seguenti parole:

Tempo, notte, vetro, verme.
(Es. verme: *nudo come un verme, comportarsi come un verme; sentirsi un verme...*)

◆ Indicare se sono sinonimi o contrari

		S	C
Indimenticabile	incancellabile	❑	❑
Nascosto	visibile	❑	❑
Maturo	acerbo	❑	❑
Gradire	rifiutare	❑	❑
Incantato	affascinato	❑	❑
Delizia	disgusto	❑	❑
Notevole	eccezionale	❑	❑
Differenza	diversità	❑	❑
Tralasciare	escludere	❑	❑

◆ **Trovare per ogni nome delle qualificazioni adatte**

Castello, libro, costa, stazione, vetro, legno.
(*Es.* legno: *verde, compensato, dolce, liscio, nodoso...*)

◆ **Formare una famiglia di parole**

Piatto, lavoro, libro.
(*Es.* libro: *libraio, libreria, libresco, libretto, libricino, libraccio...*)

◆ **Completare con le preposizioni**

Le differenze, ... volte notevoli, anche ... città ... stessa regione, hanno fatto nascere accese rivalità che hanno dato origine ... fenomeno tipicamente italiano ... campanilismo.

"Appuntamento a..." vuole accompagnare il lettore ... un ideale viaggio attraverso l'Italia ... conoscerne ed apprezzarne la variegata realtà socio-culturale, senza tralasciare avvenimenti e percorsi che non sempre la cultura ufficiale ed il turismo ... massa valorizzano.

Cibi, vini, rievocazioni storiche sono una memoria ... tempo, ... eventi e ... personaggi che li hanno vissuti: una memoria che vale la pena ... tener viva non solo ... gli Italiani, ma anche ... tutti coloro che amano e vogliono conoscere questo Paese.

◆ **Per la creatività e per la verifica**

• Completare delle frasi del testo con parole proprie
• Rimettere in ordine logico le parti, date in disordine, di una frase
• Rimettere in ordine logico le frasi, date in disordine, del testo
• Fare una sintesi orale e scritta del testo
• Raccontare vicende analoghe (in forma scritta e orale)
• Trovare musiche, canzoni, immagini relative al testo
• Fare una ricerca storica sull'argomento

Valle d'Aosta

È la regione più piccola d'Italia.

Nel suo territorio, completamente montagnoso, si innalzano le più alte e famose cime alpine: il Monte Bianco (m. 4810), che è la vetta più alta d'Europa, il Monte Rosa (m. 4634), il Gran Paradiso (m. 4061).

Con tante montagne non possono mancare le valli, la più grande delle quali dà il nome alla regione.

Per la sua posizione geografica al confine con la Francia, la popolazione pratica il trilinguismo (parla italiano, francese e *occitanico*) e gode di uno statuto di autonomia amministrativa.

L'industria del turismo, sia estivo sia invernale, è fondamentale per l'economia della regione, e può contare su numerose ed attrezzate località, fra cui Sestrière e Courmayeur.

Occitanico: dialetto della Francia meridionale.

La conquista del Monte Bianco

Il monte Bianco *sovrasta* l'intera Valle, e per la sua maestosità era stato già ammirato da molti popoli antichi: i Liguri, i Celti, i Galli ed i Romani. Ne avevano avuto anche paura, infatti il suo primo nome fu monte Maledetto.

Antiche leggende dicono che chi si fosse trovato di notte fra i suoi ghiacciai, o chi per caso fosse stato testimone di *convegni di fate, folletti e streghe* che abitualmente vi si svolgevano, sarebbe sicuramente morto.

Fino al 1700 a nessuno era venuto in mente di *scalarlo*, perché si pensava che fosse un'impresa impossibile.

Il nome Bianco gli venne dato nel 1742 dal viaggiatore svizzero Pierre Martel; lui, grazie ai suoi studi e alle sue osservazioni, aveva capito per primo che quella era la più alta cima delle Alpi.

Nel 1761 il giovane Horace Benedict De Saussure, anche lui svizzero, desideroso di conoscere quella misteriosa montagna, disse che avrebbe dato un premio di cinquecento franchi svizzeri al primo uomo che fosse arrivato sulla vetta. Gli abitanti di quei luoghi non accettarono l'offerta: erano persone abituate ad una economia povera in cui circolava poco denaro, quindi a loro sembrava una pazzìa che se ne offrisse così tanto per vedere qualcuno in cima ad una montagna!

Ma il giovane professore non rinunciò al suo progetto e rinnovò l'offerta.

Soltanto un cacciatore, al quale la somma promessa dal professor De Saussure sarebbe stata utile perchè aveva molti debiti, tentò due volte l'avventura, ma senza successo.

Negli anni seguenti molti altri ci provarono e qualcuno affermò di esserci riuscito, senza però poterlo dimostrare. Nel 1787, finalmente, proprio De Saussure conquistò la vetta senza alcuna possibilità di contestazione.

Nel suo diario racconta che quando camminò sulla neve nel punto più alto della montagna non provò un senso di piacere, ma un sentimento simile alla delusione: il suo sogno fin da quando era ragazzo era diventato realtà, ma la realtà non è mai bella quanto il sogno!

Il *massiccio* del monte Bianco è ormai senza più segreti, infatti da quel lontano 1787 molte persone sono arrivate sulla cima più alta; comunque la vista dei suoi settantuno ghiacciai e le sue quattrocento cime suscita sempre grandi emozioni.

Sovrastare: stare sopra, dominare dall'alto.
Convegno: incontro fra più persone in un luogo ad un'ora stabilita.
Fate, streghe e folletti: personaggi di fiabe e leggende.
Scalare: salire fino alla cima di un monte.
Massiccio: gruppo montuoso con una larga base e molte cime.

◆ Questionario

1) Dove si trova il monte Bianco?
2) Che cosa sono le Alpi?
3) Che cosa dice un'antica leggenda a proposito del monte Bianco?
4) Che cosa è successo nel 1742?
5) Perché gli abitanti dei villaggi non accettarono l'offerta di De Saussure?
6) Perché un cacciatore accettò l'offerta di De Saussurre?

◆ Scelta multipla

1) De Saussure offrì un premio di cinquecento
    a) dollari
    b) franchi svizzeri
    c) franchi francesi

2) Gli abitanti del villaggio consideravano le scalate al monte Bianco
    a) una pazzìa
    b) un gesto di coraggio
    c) un'impresa inutile

3) Quando De Saussure arrivò in cima al monte Bianco provò
    a) piacere
    b) delusione
    c) soddisfazione

◆ Trovare delle espressioni che contengano le seguenti parole:

Paura, montagna, avventura, neve.
(Es. neve: *effetto neve; bianco come la neve; sciogliersi come la neve...*)

◆ Indicare se sono sinonimi o contrari

		S	C
Ammirare	contemplare	❏	❏
Misterioso	ovvio	❏	❏
Convegno	congresso	❏	❏
Cima	vetta	❏	❏
Rinunciare	cedere	❏	❏
Debito	credito	❏	❏
Successo	insuccesso	❏	❏
Somma	sottrazione	❏	❏
Delusione	illusione	❏	❏

◆ **Trovare per ogni nome delle qualificazioni adatte**

Valle, notte, montagna, professore, progetto, neve.
(Es. neve: *bianca, soffice, fredda, artificiale, naturale, farinosa, molle, gelata...*)

◆ **Formare una famiglia di parole**

Ghiaccio, anno, avventura, monte, povero, giovane.
(Es. giovane: *gioventù, giovinezza, giovanile, ringiovanire, giovanotto, giovinastro...*)

◆ **Trovare dei nomi riferibili ai seguenti aggettivi:**

Misterioso, utile, impossibile.
(Es. impossibile: *sogno, progetto, scalata, impresa, azione...*)

◆ **Completare con le preposizioni**

... 1787, finalmente, proprio De Saussure conquistò la vetta senza alcuna possibilità ... contestazione.
...suo diario racconta che quando camminò ... neve ... punto più alto ...montagna non provò un senso ... piacere, ma un sentimento simile ... delusione: il suo sogno fin ... quando era ragazzo era diventato realtà, ma la realtà non è mai bella quanto il sogno!
Il massiccio ... monte Bianco è ormai senza più segreti, infatti ... quel lontano 1787 molte persone sono arrivate ... cima più alta; comunque la vista ... suoi settantuno ghiacciai e le sue quattrocento cime suscita sempre grandi emozioni.

◆ **Per la creatività e per la verifica**

• Completare delle frasi del testo con parole proprie
• Rimettere in ordine logico le parti, date in disordine, di una frase
• Rimettere in ordine logico le frasi, date in disordine, del testo
• Fare una sintesi orale e scritta del testo
• Raccontare vicende analoghe (in forma scritta e orale)
• Trovare musiche, canzoni, immagini relative al testo
• Fare una ricerca storica sull'argomento

BAGNA CAODA
(dosi per quattro persone)

10 spicchi d'aglio
10 acciughe pulite e dissalate
2 bicchieri d'olio
2 noci
un pò di burro

Schiacciare l'aglio, le acciughe e le noci fino a ridurre tutto in poltiglia.
Aggiungere un pò d'olio e far cuocere a fuoco basso per mezz'ora.
Prima di servire, sciogliere nell'impasto ottenuto (la Bagna Caoda, appunto!) una fetta di burro. Nella bagna caoda si possono intingere vari tipi di verdure crude (sedano, cardo, cavolo, rapa, peperone, finocchio) e cotte (peperone, barbabietola rossa, cipolla, patate bollite).
Si consiglia vino rosso, preferibilmente piemontese (Barbera, Dolcetto, Nebbiolo).

N.B. In un pò di Bagna Caoda si può mettere un uovo fresco, fatto cuocere per qualche minuto e strapazzato. È un piatto molto gustoso!

L'Estate di San Martino

Si pensa che in Italia ci siano oltre centocinquanta fra paesi, cittadine e villaggi che prendono nome da San Martino.

Il numero aumenterebbe notevolmente se si contassero le *cascine*, le fonti e i colli che portano il suo nome.

Numerosissimi sono i nomi e i cognomi che da esso derivano, fra cui Martini, Martinelli, De Martino, Martinangeli, Martin, Martino, Martina, Martinetti. Nel corso dei secoli san Martino è stato anche scelto come patrono da numerosi tipi di associazioni: lo invocavano i cavalieri, gli osti, gli albergatori e i viaggiatori che durante i loro spostamenti appendevano un ferro di cavallo sulla porta di una chiesa dedicata a lui.

L'11 novembre, festa di San Martino, è stata per secoli, e in parte continua ad essere, una data importante soprattutto nelle campagne: era il giorno in cui si pagavano gli affitti, si rinnovavano i contratti, si assaggiava il vino novello, si svolgevano le fiere storiche più importanti; in molte località si organizzano ancora le *sagre* delle castagne e del vino.

Martino nacque a Sabaria (Szarubatkely) in Ungheria nel 317 da una famiglia di origine italiana.

Il padre, che era un soldato, lo chiamò Martino, cioè piccolo Marte in onore del dio della guerra, e sognava per lui una grande carriera militare.

Martino però si convertì al cristianesimo all'età di 10 anni e il suo grande desiderio era quello di diventare monaco, ma il padre lo obbligò ad entrare nell'esercito e fu molto contento quando a soli 20 anni fu nominato "circitor", ispettore dei posti di guardia.

Martino svolgeva questo importante lavoro con diligenza e umanità.

Durante una ispezione accadde il fatto che lo ha reso famoso: era una notte d'inverno, faceva tanto freddo, nevicava, ad un tratto vide un mendicante malvestito, affamato e infreddolito.

Martino non aveva né cibo né soldi da dargli, così prese la spada e tagliò il suo mantello in due parti: metà la donò al povero, l'altra metà la tenne per sé.

Quasi a voler premiare quel gesto di generosità, per alcuni giorni il clima cambiò e il sole tornò a splendere come in estate: questo capriccio meteorologico si verifica ogni anno a novembre e la credenza popolare lo ha sempre collegato al gesto di Martino: è l'estate di San Martino.

Cascina: azienda agricola, fattoria.
Sagra: ibidem pag. 6.

Fra le località che portano il nome di Martino merita di essere ricordato Pont-Saint-Martin in Val d'Aosta per un simpatico miracolo attribuito al Santo. Il vecchio ponte di legno, unica via per entrare in paese, era stato distrutto dalla corrente del fiume Lys durante un violento temporale.

San Martino chiese al diavolo di ricostruirlo, in cambio avrebbe posseduto l'anima del primo essere vivente che fosse passato sul ponte.

Belzebù accettò e in pochissimo tempo ne realizzò uno magnifico, ma la sua delusione fu grande perché il primo a passarvi sopra fu un cane!

Ogni anno, a carnevale, gli abitanti di Pont-Saint-Martin ricordano l'episodio con un corteo, con giochi e carri allegorici.

La festa si conclude con il grande falò di un *pupazzo* che ha le sembianze del demonio.

La cenere viene gettata nel fiume Lys.

◆ **Questionario**

Quale origine ha il nome Martino?
Quali categorie sociali lo invocavano?
Quali attività si svolgevano il giorno di San Martino?
Per quale gesto Martino divenne famoso?
Che cosa è l'estate di San Martino?
Che tipo di accordo ci fu fra Martino e il diavolo?
Perché il diavolo restò deluso?

◆ **Vero o falso?**

	V	F
1) Martino nacque in Italia.	❏	❏
2) San Martino si festeggia in estate.	❏	❏
3) A 20 anni Martino diventò monaco.	❏	❏
4) Il padre desiderava che facesse carriera militare.	❏	❏
5) Il diavolo costruì il ponte in una notte.	❏	❏
6) Il paese di Pont-Saint-Martin si trova in Ungheria.	❏	❏

Pupazzo: figura disegnata, scolpita che rappresenta, in genere, la persona umana.

◆ **Trovare delle espressioni che contengano le seguenti parole:**

Oste, ferro, guardia, ponte, diavolo.
(Es. diavolo: *avere un diavolo per capello; brutto come il diavolo; essere come il diavolo e l'acqua santa; mandare al diavolo; fare il diavolo a quattro...*)

◆ **Indicare se sono sinonimi o contrari**

		S	C
Diligenza	negligenza	☐	☐
Umano	disumano	☐	☐
Monaco	frate	☐	☐
Mendicante	accattone	☐	☐
Affamato	sazio	☐	☐
Infreddolito	assiderato	☐	☐
Capriccio	desiderio	☐	☐
Collegare	disunire	☐	☐
Distruggere	annientare	☐	☐
Violento	mite	☐	☐
Temporale	acquazzone	☐	☐
Episodio	vicenda	☐	☐
Gettare	buttare	☐	☐

◆ **Trovare per ogni nome delle qualificazioni adatte**

Numero, ferro, contratto, cibo, clima, ponte.
(Es. ponte: *ferroviario, vecchio, ad arco, moderno, girevole...*)

◆ **Formare una famiglia di parole**

Numero, nome, ferro, simpatia, villaggio, campagna, freddo, cenere.
(Es. cenere: *incenerire, cenerentola, cinereo, cenerino...*)

◆ **Completare con le preposizioni**

Martino nacque ... Sabaria (Szarubatkely) ... Ungheria ... 317 ... una famiglia ... origine italiana.

Il padre, che era un soldato, lo chiamò Martino, cioè piccolo Marte ... onore ... dio ... guerra, e sognava ... lui una grande carriera militare.

Martino però si convertì ... cristianesimo ...età ... 10 anni e il suo grande desiderio era quello ... diventare monaco, ma il padre lo obbligò ... entrare ...esercito e fu molto contento quando ... soli 20 anni fu nominato "circitor", ispettore ... posti ... guardia.

Martino svolgeva questo importante lavoro ... diligenza e umanità.

Durante una ispezione accadde il fatto che lo ha reso famoso: era una notte ...inverno, faceva tanto freddo, nevicava, ... un tratto vide un mendicante malvestito, affamato e infreddolito.

Martino non aveva ne' cibo ne' soldi ... dargli, così prese la spada e tagliò il suo mantello ... due parti: metà la donò ... povero, l'altra metà la tenne ... se'.

◆ **Per la creatività e per la verifica**

- Completare delle frasi del testo con parole proprie
- Rimettere in ordine logico le parti, date in disordine, di una frase
- Rimettere in ordine logico le frasi, date in disordine, del testo
- Fare una sintesi orale e scritta del testo
- Raccontare vicende analoghe (in forma scritta e orale)
- Trovare musiche, canzoni, immagini relative al testo
- Fare una ricerca storica sull'argomento

Piemonte

Piemonte vuol dire ai piedi dei monti: infatti è delimitato a Sud, Ovest e Nord da montagne (le Alpi e gli Appennini).

Ha avuto una grande importanza nella storia d' Italia: sotto il regno dei Savoia il Piemonte era l'unico stato indipendente della penisola ed offrì ospitalità ed aiuto, fin dal 1821, ai primi patrioti che lottavano per l'indipendenza; in seguito guidò le guerre che portarono alla proclamazione del Regno d'Italia nel 1861.

Torino fu la prima capitale.

Oggi è sede della FIAT (Fabbrica Italiana Automobilistica Torino) e vi si svolgono ogni anno importanti manifestazioni come il Salone dell'automobile e del libro.

Ospita anche tre musei molto importanti: il Museo Egizio, il secondo nel mondo per importanza dopo quello di Il Cairo, in Egitto; il Museo dell'Automobile; il Museo Storico del Risorgimento.

Durante il periodo dei *Comuni* (sec. XI-XIII) molte città dell'Italia centrale e settentrionale erano organizzate politicamente come uno Stato libero, indipendente e con tradizioni proprie.

I rapporti con i vicini non erano quasi mai pacifici: per qualsiasi motivo si verificavano scontri, lotte, vere e proprie battaglie.

Dopo tanti secoli le rivalità fra queste città rivivono in numerose feste popolari e folcloristiche.

Ad Asti, ad esempio, per festeggiare la vittoria militare del 10 agosto 1275 contro la vicina città di Alba, fu organizzata la corsa del Palio, ancora oggi uno dei momenti più importanti della vita cittadina.

La gara è preceduta da una splendida sfilata nella quale ognuno dei tredici rioni fa rivivere un avvenimento significativo accaduto tra il sec. XIII e il sec. XV che abbia avuto come protagonista un personaggio del rione.

Il lavoro di preparazione è lungo e complesso, perchè è necessaria una precisa documentazione sullo svolgimento dei fatti e una perfetta riproduzione dei costumi di quel tempo.

Per mesi e mesi, durante l'inverno, moltissimi volontari si incontrano per selezionare gli avvenimenti e scegliere quello più interessante; si lavora con grande passione ed in gran segreto perché sia una sorpresa per tutti.

Entro il 31 maggio tutti devono comunicare al Comitato organizzatore il soggetto storico scelto.

Il rione vincitore non riceve nessun premio: si vuole vincere per il prestigio, per l'invidia e l'ammirazione che proveranno gli altri.

Il giorno di festa si conclude con la corsa del Palio, attesa con ansia da tutta la popolazione.

In questa gara la vittoria è importante e pur di vincere si spendono molti soldi per comprare i cavalli migliori e per pagare i *fantini* più esperti.

Quelli più richiesti, e quindi i più pagati, sono coloro che hanno già partecipato al Palio di Siena, il più celebre.

La vittoria dipende dalla bravura del fantino e dalle qualità del cavallo, ma

---

Palio: tessuto di lana o di seta ricamato o dipinto.
Comuni: (Civiltà dei) tipica forma di autogoverno di molte città nel medioevo dell'Italia centro-settentrionale.
I primi Comuni nacquero nel sec. XI. Il governo era affidato ai Consoli che restavano al potere un anno.
Nei secoli XII e XIII il governo delle città passò nelle mani del Podestà. L'autorità dell'Imperatore era rispettata, ma ogni Comune amministrava la cittadina con grande autonomia.
Fantino: cavaliere.

anche da altri motivi: durante la corsa infatti è consentita qualsiasi azione, anche colpire gli avversari per farli cadere.

La gara si svolge in una piazza di forma triangolare, quindi con curve molto pericolose.

Il vincitore riceve in premio il Palio; il secondo una borsa di monete d'argento, il terzo un paio di preziosi *speroni*, il quarto un gallo vivo, il quinto una *coccarda*.

C'è poi un premio riservato all'ultimo, e che nessuno vorrebbe mai ricevere: una *acciuga* salata che il fantino deve mangiare mentre gli altri lo *deridono*.

◆ **Questionario**

---

1) In quale parte d'Italia le città erano organizzate come liberi Stati?
2) Che tipo di rapporti c'era fra i Comuni nel Medioevo?
3) Il 10 agosto ad Asti si svolgono due sfide: in che cosa si differenziano?
4) Perché il 31 maggio è una data importante?
5) Che caratteristiche ha la piazza dove si svolge la corsa?
6) Quale premio riceve l'ultimo arrivato?

◆ **Scelta multipla**

---

1) Nel Medioevo i rapporti fra i Comuni erano

a) pacifici
b) difficili
c) bellicosi

2) I fantini più richiesti sono quelli di Siena, perché sono

a) i più pagati
b) i più esperti
c) i più simpatici

3) Asti era divisa in

a) contrade
b) rioni
c) quartieri

4) Il rione che vince la sfilata riceve in premio

a) niente
b) un Palio
c) delle monete d'argento

Sperone: oggetto metallico, a forma di *U* o a stella, unito al tacco dello stivale del cavaliere.
Coccarda: piccola rosa di stoffa formata da un nastro colorato pieghettato.
Acciuga: tipo di pesce conservato sotto sale.
Deridere: prendere in giro.

		S	*C*
Rivalità	antagonismo	❏	❏
Agitato	tranquillo	❏	❏
Complesso	semplice	❏	❏
Meravigliare	stupire	❏	❏
Ansia	preoccupazione	❏	❏
Protagonista	personaggio principale	❏	❏
Esperto	abile	❏	❏
Consentire	impedire	❏	❏

◆ **Trovare per ogni nome delle qualificazioni adatte**

Rapporto, scontro, vittoria, moneta, periodo.
(Es. periodo: *bellico, fecondo, storico, lungo, breve...*)

◆ **Formare una famiglia di parole**

Documento, passione, segreto, sorprendere, concludere, dividere.
(Es. dividere: *suddividere, divisione, divisibile, indivisibile, dividendo, diviso...*)

◆ **Completare con le preposizioni**

La vittoria dipende ... bravura ... fantino e ... qualità ... cavallo, ma anche
... altri motivi: durante la corsa, infatti è consentita qualsiasi azione, anche
colpire gli avversari ... farli cadere ... cavallo.
La gara si svolge ... una piazza ... forma triangolare, quindi ... curve molto
pericolose. Il vincitore riceve ... premio il Palio; il secondo una borsa ...
monete ... argento, il terzo un paio ... preziosi speroni, il quarto un gallo vivo,
il quinto una coccarda.
C'è poi un premio riservato ... ultimo, e che nessuno vorrebbe mai
ricevere: una acciuga salata che il fantino deve mangiare mentre gli altri lo
deridono.

◆ **Per la creatività e per la verifica**

- Completare delle frasi del testo con parole proprie
- Rimettere in ordine logico le parti, date in disordine, di una frase
- Rimettere in ordine logico le frasi, date in disordine, del testo
- Fare una sintesi orale e scritta del testo
- Raccontare vicende analoghe (in forma scritta e orale)
- Trovare musiche, canzoni, immagini relative al testo
- Fare una ricerca storica sull'argomento

Il *Palio* di Alba

Il Palio di Alba non esisterebbe se non ci fosse quello di Asti: tutti e due, infatti, si riferiscono alla battaglia fra le due città che si combatté il 10 agosto 1275, in cui Alba fu sconfitta.

Di solito si festeggiano le vittorie, ma gli Albesi hanno deciso di ricordare in modo ironico e festoso la sconfitta ed hanno perciò istituito la corsa del Palio, alla quale però non partecipano cavalli *purosangue* montati da *fantini* famosi, come ad Asti, ma umili *somarelli* che qualsiasi persona può cavalcare.

È una straordinaria festa popolare: i numerosissimi spettatori assistono alla gara con curiosità ed attenzione rivolte non tanto ai fantini quanto agli asini, i veri protagonisti a causa del loro comportamento capriccioso ed impreve-dibile.

Tutti sanno che al contrario dei cavalli non obbediscono sempre volentieri agli ordini del padrone; alcuni, infatti, dimostrano poco interesse per la gara e invece di correre camminano lentamente o addirittura si fermano.

Qualche volta decidono, misteriosamente, di riprendere la corsa, ma spesso a nulla servono gli incitamenti del pubblico e del fantino che è costretto a proseguire a piedi.

Ad ogni asino viene assegnato un numero ed il nome di un personaggio conosciuto della città: il sindaco, un industriale, un farmacista, un dottore... Quando poi la gente li chiama per insultarli e prenderli in giro, nessuno si offende, o almeno cerca di non manifestarlo. Alla gara partecipano le dieci contrade in cui è divisa la città, ma raramente arrivano tutte al traguardo!

Il vincitore riceve in premio il Palio; al secondo classificato viene dato un piatto di tartufi; al terzo alcune bottiglie di ottimo vino locale (barolo, barbaresco o nebbiolo); al quarto una torta.

L'ultimo arrivato, come al Palio di Asti, deve mangiare un'*acciuga* salata davanti a tutti!

La corsa è preceduta da un *corteo* di circa cinquecento *figuranti* in costume medievale durante il quale vengono rappresentati personaggi appartenenti alle varie classi sociali: quella dei nobili, degli artigiani e dei contadini.

Palio: ibidem p. 19.
Cavallo purosangue: nato da cavalli della stessa razza.
Fantino: ibidem p. 19.
Somarello: piccolo somaro, sinonimo di asino.
Acciuga: ibidem p. 20.
Corteo: gruppo di persone che, camminando in fila per le vie di una città, partecipa ad una festa o ad una manifestazione.
Figurante: persona vestita in costume storico che partecipa ad un corteo.

Osservandoli sfilare per le vie della città, gli abitanti di Alba possono immaginare per qualche ora di rivivere l'atmosfera di un tempo lontano, ma mai dimenticato: lo scopo di queste feste popolari, infatti, è di far convivere tradizioni e modernità.

◆ **Questionario**

1) Come si chiamano gli abitanti di Alba?
2) Quale avvenimento si festeggia ad Alba con il Palio?
3) In che cosa è diverso il Palio di Alba da quello di Asti?
4) Quanti asini partecipano alla gara?
5) Come si comportano gli asini durante la corsa?
6) Quali nomi vengono dati agli asini durante la gara?

◆ **Vero o falso?**

	V	F
1) Il Palio di Alba ricorda la vittoria contro Asti.	❏	❏
2) Al Palio di Alba non partecipano cavalli purosangue.	❏	❏
3) I veri protagonisti della gara sono gli asini.	❏	❏
4) La città di Alba è divisa in dodici contrade.	❏	❏
5) L'ultimo classificato riceve una bottiglia di vino.	❏	❏
6) Al corteo partecipano anche cinquecento figuranti.	❏	❏

◆ **Trovare delle espressioni che contengano le seguenti parole:**

Padrone, cavallo, somaro.
(Es. somaro: *lavorare come un somaro; classe di somari...*)

◆ Indicare se sono sinonimi o contrari

		S	C
Ironico	sarcastico	❑	❑
Umile	superbo	❑	❑
Fantino	cavaliere	❑	❑
Capriccioso	bizzarro	❑	❑
Incitare	spronare	❑	❑
Costringere	obbligare	❑	❑
Proseguire	continuare	❑	❑
Insultare	offendere	❑	❑
Salato	insipido	❑	❑
Precedere	seguire	❑	❑

◆ Trovare per ogni nome delle qualificazioni adatte

Comportamento, interesse, gara, pubblico, numero.
(Es. numero: *decimale, intero, impreciso, basso, alto, grande...*)

◆ Formare una famiglia di parole

Popolo, correre, lentamente, mistero, divertire, nobile.
(Es. nobile: *nobiltà, nobilmente, nobildonna...*)

◆ Mettere al singolare

Gli umili   l'umile
Le città
Gli avvenimenti
I purosangue
Gli spettatori
Le curiosità
I protagonisti
Gli interessi
Gli asini
I farmacisti
Le acciughe
Gli abitanti
Le immagini

◆ Completare con le preposizioni

Il vincitore riceve... premio il Palio; ... secondo classificato viene dato un piatto ... tartufi; ... terzo alcune bottiglie ... ottimo vino locale (barolo, barbaresco o nebbiolo); ... quarto una torta.

L'ultimo arrivato, purtroppo ... lui, deve mangiare un' acciuga salata davanti ... tutti!

La corsa è preceduta ... un corteo ... circa cinquecento figuranti ... costume medievale.

Vengono rappresentati personaggi appartenenti ... varie classi sociali: nobili, artigiani, contadini...

Osservandoli sfilare ... le vie ... città, gli abitanti ... Alba possono immaginare ... qualche ora ... rivivere l' atmosfera ... un tempo lontano, ma mai dimenticato: lo scopo, infatti ... queste feste popolari è ... far convivere tradizioni e modernità.

◆ Per la creatività e per la verifica

- Completare delle frasi del testo con parole proprie
- Rimettere in ordine logico le parti, date in disordine, di una frase
- Rimettere in ordine logico le frasi, date in disordine, del testo
- Fare una sintesi orale e scritta del testo
- Raccontare vicende analoghe (in forma scritta e orale)
- Trovare musiche, canzoni, immagini relative al testo
- Fare una ricerca storica sull'argomento

Alba, patria del *tartufo*

Esistono due tipi di tartufi: il nero ("tuber melanosperum") e il bianco ("tuber magnatum pica"); il tartufo nero di migliore qualità cresce, secondo gli esperti, a Norcia, in Umbria.

Quello bianco, molto più pregiato, cresce quasi esclusivamente in due zone d'Italia: ad Acqualagna, nella regione delle Marche, e ad Alba, in Piemonte. È un tipo di condimento dal gusto particolare e dal prezzo molto elevato: può costare anche qualche milione al chilo.

Era già conosciuto molti secoli fa, infatti gli antichi Romani lo apprezzavano molto, anche se sulla loro tavola era più comune la *terfezia*, lontana e povera parente del vero tartufo. È un fungo *parassita* e nasce quindi vicino ad alcune piante, soprattutto noccioli, querce, salici e pioppi, alle quali sottrae le sostanze per svilupparsi.

Cresce in terreni abbastanza comuni, ma è molto sensibile alle variazioni del clima: le componenti minerali del terreno raggiungono il necessario equilibrio con la pioggia, che non deve essere nè poca, nè troppa, soprattutto nel mese di agosto.

Nasce sottoterra, da quindici a cinquanta centimetri di profondità, quindi è impossibile vederlo.

Anche le persone più esperte, che conoscono bene la *tartufaia*, difficilmente riescono a trovarne qualcuno. Il tartufo si cerca non con gli occhi, ma con il naso: *si annusa*.

Occorre quindi una perfetta collaborazione fra il trifolau (il cercatore di tartufi, in dialetto piemontese) e un maiale o un cane, animali che hanno un *olfatto* straordinario; il cane è solitamente preferito perché è più agile e più veloce.

Non occorre un cane di razza: un *bastardino* va benissimo e non è neanche difficile *addestrarlo*, poiché è sufficiente fargli annusare un tartufo e dargli un premio quando lo trova; un pezzo di pane basta, perché quando lavora deve avere fame! I risultati dell'addestramento dipendono, comunque, dalle qualità naturali del cane e dalla bravura del padrone.

Tartufo, Terfezia: tipi di funghi che crescono sottoterra.
Parassita: organismo vegetale o animale che vive utilizzando le sostanze di un altro essere vivente.
Tartufaia: terreno dove crescono i tartufi.
Annusare: odorare, fiutare, aspirare con il naso.
Olfatto: uno dei cinque sensi; permette di percepire e distinguere gli odori.
Cane bastardo: nato da padre e madre di razze diverse.
Addestrare: ammaestrare, istruire.

Hanno provato ad organizzare una scuola per trifolau, ma non ha avuto successo, perchè ognuno preferisce diventare esperto grazie ai suggerimenti che si tramandano di padre in figlio e alla propria esperienza, in modo da mantenere segrete le strategie di ricerca.

Si dice che qualche trifolau sappia individuare la presenza dei tartufi osservando il colore delle foglie delle piante vicino alle quali cresce questo vero e proprio tesoro.

Qualcuno, poi, ha tentato di far crescere i tartufi in coltivazioni artificiali, ma il sogno di coltivarli come fossero ortaggi o comuni funghi non si è realizzato.

◆ **Questionario**

---

1) In quali zone d'Italia si trova il tartufo bianco?
2) Perche la città di Norcia è famosa?
3) Vicino a quali piante nasce?
4) Perché il mese di agosto è importante per i tartufi?
5) Quale animale è usato per cercare i tartufi e perché?
6) Perché la scuola per trifolau non ha avuto successo?

◆ **Vero e falso?**

	V	F
1) Il tartufo è un fungo parassita.	❏	❏
2) Il tartufo ha bisogno di molto sole e poca acqua.	❏	❏
3) Esistono molti tipi di tartufi.	❏	❏
4) Nasce a pochi centimetri di profondità.	❏	❏
5) Il maiale è meno bravo del cane a cercare tartufi.	❏	❏
5) La scuola per trifolau non ha avuto successo.	❏	❏

◆ **Trovare delle espressioni che contengano le seguenti parole:**

Nero, bianco, naso, occhio, tavola, tesoro, costare.
(Es. costare: *costi quel che costi; costa caro; costa un occhio...*)

◆ **Indicare se sono sinonimi o contrari**

		S	C
Elevato	alto	❏	❏
Equilibrio	squilibrio	❏	❏
Crescere	prosperare	❏	❏
Variazione	cambiamento	❏	❏
Sviluppo	crescita	❏	❏
Esperto	inesperto	❏	❏
Agile	snello	❏	❏
Veloce	lento	❏	❏

◆ **Trovare per ogni nome delle qualificazioni adatte**

Tavola, fungo, terreno, scuola, cane, prezzo.
(Es. prezzo: *alto, basso, giusto, conveniente, eccessivo...*)

◆ **Formare una famiglia di parole**

Bianco, clima, profondità, occhio, pane, padrone.
(Es. padrone: *impadronirsi, padroneggiare, padroncino, padrino...*)

◆ **Trovare dei nomi riferibili ai seguenti aggettivi:**

Agile, naturale, perfetto, esperto.
(Es. esperto: *politico, atleta, professionista, pilota, esploratore, astronauta...*)

◆ **Trovare il verbo corrispondente**

Vista	vedere
Udito	
Tatto	
Gusto	
Olfatto	

◆ **Completare con le preposizioni**

È un fungo parassita e nasce quindi vicino ... alcune piante, soprattutto
noccioli, querce, salici e pioppi, ... quali sottrae le sostanze ... svilupparsi.
Cresce ... terreni abbastanza comuni, ma è molto sensibile ... variazioni
... clima: le componenti minerali ... terreno raggiungono il necessario equilibrio ... la pioggia, che non deve essere nè poca, nè troppa, soprattutto ... mese
... agosto.
Nasce sottoterra, ... quindici ... cinquanta centimetri ... profondità, quindi
è impossibile vederlo.

◆ **Per la creatività e per la verifica**

• Completare delle frasi del testo con parole proprie
• Rimettere in ordine logico le parti, date in disordine, di una frase
• Rimettere in ordine logico le frasi, date in disordine, del testo
• Fare una sintesi orale e scritta del testo
• Raccontare vicende analoghe (in forma scritta e orale)
• Trovare musiche, canzoni, immagini relative al testo
• Fare una ricerca storica sull'argomento

Un carnevale...alla frutta

Ivrea è una cittadina famosa per il suo carnevale veramente originale, dal sapore speciale, forse unico: è un carnevale "all'arancia".

In un solo giorno si consumano decine di quintali di arance, non per uso alimentare, ma perché sono usate come una vera e propria arma in una strana battaglia che gli Eporediesi, così si chiamano gli abitanti di Ivrea, combattono in grande allegria. Come, quando e perché le arance siano diventate simbolo di questo carnevale non si sa.

Si racconta che molti secoli fa il Signore della città, famoso per la sua crudeltà, una volta l'anno regalava a ciascuna famiglia una pentola di fagioli per far dimenticare il suo malgoverno.

Ma una breve festa non poteva cancellare un anno di ingiustizie, perciò un giorno il popolo, invece di mangiare i fagioli, li gettò per le strade in segno di protesta: da allora questo gesto si ripete simbolicamente a carnevale, non più con i fagioli, ma con le arance. A volte, in passato, la festa offriva l'occasione per scontri fra i rioni, per motivi politici o religiosi, e non si usavano né arance, né fagioli, ma sassi e qualche volta *ci scappava anche il morto!*

Oggi la battaglia si combatte esclusivamente con le arance, quindi senza pericolo di morte; al massimo si può tornare a casa con qualche *livido*, un dente rotto o un occhio nero.

Dal 6 gennaio al martedì "grasso", ultimo giorno di carnevale, ci sono tante iniziative per rivivere in modo gioioso importanti eventi del passato, ma il momento più atteso e spettacolare è la battaglia delle arance, alla quale partecipano otto squadre di duecento persone ciascuna: la Morte, i Mercenari, l'Asso di picche, gli Arduini, gli Scacchi, i Turchini, i Diavoli, la Pantera; ognuna con il suo costume, le sue tradizioni, la sua strategia di battaglia.

Chi vuole farne parte deve procurarsi l'abbigliamento a proprie spese e deve pagare una quota di iscrizione molto alta, ma nonostante ciò tanti vogliono partecipare.

Ci sono trentadue carri, su ognuno dei quali combattono dodici *aranceri* che si proteggono il viso con un *elmo*. Secondo la tradizione, gli aranceri a piedi simboleggiano il popolo *insorto*; quelli sui carri, tirati da quattro splendidi

---

Ci scappava il morto: qualcuno moriva.
Livido: segno scuro sulla pelle per effetto di un colpo ricevuto.
Aranceri: lanciatori di arance.
Elmo: copricapo metallico di protezione usato in guerra.
Popolo insorto: popolo che si ribella contro il potere.

cavalli bianchi, ricordano le guardie del *tiranno* che cercano di riportare l'ordine.

Ci sono anche lanciatori liberi che si sistemano sui balconi e sui tetti per colpire con più precisione.

I più *temerari*, o forse i più imprudenti, per effetto di qualche buon bicchiere di vino gareggiano a viso scoperto, con conseguenze facilmente immaginabili.

La sera nelle strade e nelle piazze resta un profumato tappeto di arance schiacciate.

Il giorno dopo, mercoledì delle Ceneri, giorno di penitenza, si ricorda "la morte" del carnevale con una marcia funebre eseguita con un piffero e un *tamburo*, ma anche con grandi pentolate di polenta e di *merluzzo*.

◆ **Questionario**

---

1) Come si chiamano gli abitanti di Ivrea?
2) Dove si trova Ivrea?
3) In quale parte d'Italia si producono le arance?
4) Perché gli abitanti di Ivrea si ribellarono al Signore della città?
5) Quali armi sono state usate oltre alle arance?
6) Quante sono le squadre che partecipano alla battaglia?
7) Chi sono gli aranceri?
8) Chi sono i lanciatori liberi?
9) Come si chiama il giorno successivo al carnevale?
10) Che cosa è la polenta?

Tiranno: despota, dittatore, padrone assoluto.
Temerario: chi non ha paura del pericolo.
Tamburo: strumento musicale a percussione.
Merluzzo: tipo di pesce.

1) In un giorno si consumano   a) dieci quintali di arance
   b) decine di quintali di arance
   c) molti quintali di arance.

2) Il Signore offriva una pentola di fagioli ad   a) ogni persona
   b) ogni famiglia
   c) ogni uomo.

3) Il martedì grasso è   a) il primo giorno di carnevale
   b) un giorno di penitenza
   c) l'ultimo giorno di carnevale.

4) I lanciatori liberi si mettono sui   a) tetti
   b) carri
   c) balconi.

◆ **Trovare delle espressioni che contengano le seguenti parole:**

Sasso, dente, occhio, viso, cavallo, tappeto, carro, piedi.
(Es. piedi: *lavorare con i piedi; decidere su due piedi; gettarsi ai piedi di qualcuno...*)

◆ **Trovare per ogni nome delle qualificazioni adatte**

Allegria, strada, gesto, dente, occhio, arma.
(Es. arma: *automatica, convenzionale, atomica, impropria,...*)

◆ **Formare una famiglia di parole**

Crudeltà, dente, pane, ordine, arancia.
(Es. arancia: *aranciata, arancione, aranceto, arancio...*)

◆ **Trovare dei nomi riferibili ai seguenti aggettivi:**

Originale, speciale, alto, strano.
(Es. strano: *cappello, tipo, atteggiamento, rumore, fatto...*)

◆ **Formare il plurale**

L'arma   le armi
La crudeltà
L'arancia
L'occasione
Lo scontro
L'ultimo
L'iscrizione
L'elmo

◆ **Completare con le preposizioni**

    Ivrea è una cittadina famosa ... il suo carnevale veramente originale, ... sapore speciale, forse unico: è un carnevale "... arancia". ... un solo giorno si consumano decine ... quintali ... arance, ma non ... uso alimentare: esse diventano una vera e propria arma ... una strana battaglia che gli Eporediesi, così si chiamano gli abitanti ... Ivrea, combattono ... grande allegria.

    Come, quando e perché le arance siano diventate simbolo ... questo carnevale non si sa.

    Si racconta che molti secoli fa il Signore ... città, famoso ... la sua crudeltà, una volta l'anno regalava ... ciascuna famiglia una pentola ... fagioli ... far dimenticare il suo malgoverno.

    Ma una breve festa non poteva cancellare un anno ... ingiustizie, perciò un giorno il popolo, invece ... mangiare i fagioli, li gettò ... le strade ... segno ... protesta: ... allora questo gesto si ripete simbolicamente ... carnevale, non più ... i fagioli, ma ... le arance.

◆ **Per la creatività e per la verifica**

- Completare delle frasi del testo con parole proprie
- Rimettere in ordine logico le parti, date in disordine, di una frase
- Rimettere in ordine logico le frasi, date in disordine, del testo
- Fare una sintesi orale e scritta del testo
- Raccontare vicende analoghe (in forma scritta e orale)
- Trovare musiche, canzoni, immagini relative al testo
- Fare una ricerca storica sull'argomento

RICETTA TIPICA

FONDUTA CON TARTUFI
(dosi per sei persone)

600 grammi di fontina
due noci di burro
tre tuorli* d'uovo
un tartufo

Tagliare la fontina in piccoli pezzi, metterla in una insalatiera, coprirla di latte e lasciare riposare per almeno due ore a temperatura ambiente, non in frigo.
Far sciogliere il burro in una piccola pentola, versarvi la fontina scolata, cuocere a fuoco bassissimo mescolando continuamente.
Quando la fontina comincia a sciogliersi, aggiungere uno alla volta i tuorli, sempre mescolando. Preparare, intanto, sei coppette con del tartufo affettato.
Quando si è formata una crema densa, servirla caldissima nelle coppette con pane tostato. Con questo piatto il vino consigliato è il Nebbiolo di Alba.

Tuorlo: la parte rossa dell'uovo

Liguria

È l'antica terra dei Liguri che vi si stabilirono in tempi molti remoti.

È stretta tra le montagne e il mare, perciò molti suoi abitanti per tradizione sono marinai; per secoli Genova ha controllato i traffici commerciali del Mediterraneo in concorrenza con Amalfi, Pisa e Venezia ed è tuttora uno dei porti più attivi del mar Mediterraneo.

Cristoforo Colombo e Andrea Doria sono i nomi più famosi di un lungo elenco di liguri che hanno trascorso gran parte della loro vita in mare.

Un'altra grande risorsa economica della regione è il turismo: la Liguria ha infatti un clima mite tutto l'anno, perché i monti Appennini la proteggono dai venti freddi che vengono dal nord.

Molto numerosi sono gli anziani che dalle regioni settentrionali vi si trasferiscono per godere dei benefici del clima.

La *michetta* di Dolceacqua

Da Genova, percorrendo una strada con tante curve che dal mare porta verso una piccola valle, si arriva all' improvviso a Dolceacqua, un grazioso *borgo* medievale dominato da un maestoso castello della antica famiglia Doria.

Su di esso si raccontano strane storie: una di queste narra che fu fondato da una *maga* che aveva guidato una tribù di barbari dalle fredde pianure del nord Europa verso il sole della riviera, in cerca di un posto dove fermarsi.

La maga scelse con un amico *indovino* una delle tante *grotte* naturali che si trovano in quei monti; il posto era così bello che decisero di rimanerci per sempre.

Ma la storia più affascinante riguarda il castello, dove nel Medioevo viveva il cattivo signore Imperiale Doria, che esercitava un antico e odioso *sopruso* verso le giovani del paese: lo *ius primae noctis*.

Proprio per attuare questa prepotenza, un giorno Imperiale Doria fece portare al suo castello una bella ragazza del paese, Lucrezia. Lei si ribellò, allora Imperiale la fece frustare e torturare così violentemente che la giovane morì.

Il promesso sposo, Basso, giurò di vendicarsi; si nascose dentro un carro che trasportava *fieno* per i cavalli ed entrò così nel castello. Durante la notte, aiutato da due compagni, entrò nella camera dell'*infame* signore, che stava dormendo, e gli puntò un pugnale alla gola.

Avrebbe potuto ucciderlo facilmente, ma non lo fece; Imperiale ebbe così salva la vita e promise pubblicamente, in segno di gratitudine, di restituire la libertà al popolo e di rinunciare per sempre allo ius primae noctis.

Fu un giorno felice per tutti.

Le donne per festeggiare la fine di una incivile tradizione fecero dei piccoli dolci, le michette, che simbolicamente portarono in regalo al signore del castello per ricordargli che l'amore è un dono, quindi non si ottiene con la prepotenza; poi tornarono al borgo e ne offrirono anche ai loro uomini.

Michetta: dolce tipico.
Borgo: villaggio, paese.
Maga: donna che esercita la magìa, che ha la capacità di dominare le forze nascoste della natura.
Indovino: persona che dice di saper prevedere il futuro.
Grotta: cavità naturale o artificiale scavata ai lati di una montagna o sottoterra.
Sopruso: prepotenza.
Ius primae noctis: in alcune zone il feudatario, cioè il signore locale, aveva il diritto di trascorrere la prima notte di nozze con ogni donna.
Fieno: erba tagliata e fatta essiccare.
Infame: ignobile, scellerato, cattivo.

È nata così la festa, che si ripete ogni anno a Ferragosto: gli uomini passano per le strette vie del paese gridando "la michetta, donne!", e le ragazze si affacciano alle finestre per lasciar cadere i dolcetti dalla forma particolare e simbolica, ma non lo fanno *a caso*!
Ognuna di loro regala la michetta al ragazzo che le piace di più, perché vuole scegliere, e non essere scelta.

◆ **Questionario**

---

1) Dove si trova Dolceacqua?
2) Da quanto tempo esiste il paese di Dolceacqua?
3) Perché la maga e il suo amico decisero di vivere in quella zona?
4) Perché Lucrezia morì?
5) Come fece Basso ad entrare nel castello?
6) Quale messaggio le donne di Dolceacqua volevano comunicare attraverso le michette?

◆ **Vero o Falso?**

	V	F
1) Dolceacqua è una cittadina moderna.	❏	❏
2) Imperiale Doria viveva in una grotta lungo la riviera.	❏	❏
3) Lucrezia era la sposa promessa di Basso.	❏	❏
4) Basso uccise Imperiale Doria con un pugnale.	❏	❏
5) Le donne preparano un dolce tipico chiamato michetta.	❏	❏
6) La festa della michetta si ripete ogni anno a Ferragosto.	❏	❏

A caso: compiere un'azione senza pensare, senza riflettere.

◆ **Trovare delle espressioni che contengano le seguenti parole:**

Mare, sale, carro, notte, castello, gola.
(Es. gola: *un nodo alla gola; prendere per la gola; avere l'acqua alla gola; avere il cuore in gola...*)

◆ **Trovare per ogni nome delle qualificazioni adatte**

Mare, notte, pianura, curva, paese.
(Es. paese: *settentrionale, meridionale, d'origine, natìo, antico...*)

◆ **Formare una famiglia di parole**

Barbaro, monte, violenza, libertà, dono, valle.
(Es. valle: *vallata, valligiano...*)

◆ **Completare con le preposizioni**

Genova, percorrendo una strada ... tante curve che ... mare porta verso una piccola valle, si arriva ... improvviso ... Dolceacqua, un grazioso borgo medievale dominato ... un maestoso castello ... antica famiglia Doria.

... ... esso si raccontano strane storie: sembra che sia stato fondato ... una maga che aveva guidato una tribù ... barbari ... fredde pianure ... nord Europa verso il sole ... riviera, ... cerca ... un posto dove fermarsi.

La maga scelse ... un amico indovino una ... tante grotte naturali che si trovano ... quei monti; il posto era così bello che decisero ... rimanerci ... sempre.

◆ **Per la creatività e per la verifica**

• Completare delle frasi del testo con parole proprie
• Rimettere in ordine logico le parti, date in disordine, di una frase
• Rimettere in ordine logico le frasi, date in disordine, del testo
• Fare una sintesi orale e scritta del testo
• Raccontare vicende analoghe (in forma scritta e orale)
• Trovare musiche, canzoni, immagini relative al testo
• Fare una ricerca storica sull'argomento

TRIGLIE
ALLA GENOVESE
(dosi per sei persone)

kg.1 di triglie*
cipolla
prezzemolo
aglio
2 acciughe senza la lisca
gr.25 di funghi secchi
gr.200 di pomodori pelati e fatti a
pezzetti

Friggere nell'olio le triglie ben infarinate. Toglierle dalla padella e tenerle in caldo.
Nello stesso olio cuocere velocemente un trito* di cipolla, prezzemolo e aglio; aggiungere le acciughe e i funghi secchi tenuti prima in ammollo, infine i pomodori.
Appena la salsa si addensa (circa 15 minuti) aggiungere le triglie, lasciare ancora qualche minuto a cuocere e servire subito. Vino consigliato: Vermentino ligure.

Triglia: tipo di pesce.
Trito, tritare: ridurre qualcosa in pezzi piccolissimi.

Lombardia

Il nome deriva dai Longobardi, popolazione germanica che vi si stabilì nel sec.VI.

Si trova in una posizione geografica molto favorevole, al centro delle più importanti vie di comunicazione tra il Mediterraneo e l'Europa centrale.

È la regione più popolosa e più sviluppata d'Italia.

Le sue numerose industrie hanno attirato, nel secondo dopoguerra, milioni di emigranti dalle regioni dell' Italia meridionale.

Il suo capoluogo, Milano, è il vertice più importante del triangolo industriale, che forma con Torino e Genova.

Con Roma e Firenze è una delle capitali mondiali della moda e del made in Italy.

È sede del Teatro alla Scala, il più prestigioso al mondo nel campo del melodramma.

La festa del carroccio di Legnano

Il 29 maggio 1176 è una data molto importante nella storia d'Italia: la vittoria della *Lega* Lombarda sull'Imperatore Federico Barbarossa, soprannominato così per il colore della sua barba, provocò il tramonto dell'Impero e permise lo sviluppo della *civiltà dei Comuni* (sec. XI-XIII).

L'Impero si estendeva su un vasto territorio comprendente circa l'attuale Italia centrale e settentrionale, la Germania, l'Austria, la Svizzera, l'Olanda, il Belgio, la Slovenia e la Repubblica Ceca, e non era facile tenere insieme culture e popoli così diversi: spesso, infatti, scoppiavano sommosse e insurrezioni per conquistare l'indipendenza.

Il Barbarossa, diventato Imperatore nel 1152, era deciso a riportare ordine ed obbedienza in tutto l'Impero, ma al suo programma politico si opponevano i Comuni dell'Italia centrosettentrionale, che si erano già da tempo organizzati come libere città-Stato e non volevano più riconoscere l'autorità imperiale che imponeva solo pesanti ed innumerevoli tasse.

L'Imperatore allora decise di intervenire con la forza, così inviò in Italia un potente esercito per punire i Comuni ribelli.

Alcuni, per paura, rinnovarono fedeltà e atto di sottomissione, mentre altri, seguendo l'esempio di Milano, aderirono alla Lega Lombarda per difendere ad ogni costo la propria autonomia.

Il 29 maggio 1176 a Legnano, cittadina a venti chilometri da Milano, si svolse una breve, ma terribile battaglia. L'esito fu incerto fino all'arrivo da Milano dei Cavalieri della morte, il cui *motto* era: "Non torno vivo, se non vincitore". Il loro aiuto all'esercito della Lega fu decisivo: Federico, sconfitto, fu costretto ad accettare tutte le richieste dei Comuni. Sono passati ottocento anni ma quel giorno è ancora nella memoria storica degli italiani, e soprattutto degli abitanti di Legnano che ogni anno organizzano una bellissima festa per commemorare quel lontano evento.

Per un giorno è Medioevo: per le vie della città sfilano oltre mille *figuranti*, trecento cavalli e sei buoi che trainano il Carroccio, grosso e pesante carro, simbolo della libertà comunale.

Ogni Comune, durante le battaglie ne aveva uno, ed era sia centro di comando militare sia simbolo religioso; infatti mentre attorno si combatteva e si moriva, sul Carroccio si pregava e si dirigevano le operazioni militari.

Lega: associazione politica.
Civiltà dei Comuni: ibidem p. 19.
Motto: breve espressione.
Figuranti: ibidem p. 24.

Nei periodi di pace veniva custodito nel Duomo come oggetto sacro.

Alla festa di Legnano sfila solo quello della Lega Lombarda in rappresentanza di tutti; su di esso c'è uno *stendardo* bianco con una croce rossa, simbolo dei Comuni riuniti.

La manifestazione comincia la mattina con una cerimonia religiosa in piazza S. Magno, e prosegue nel pomeriggio con il *carosello* storico: da ognuna delle otto contrade parte un *corteo*, che si incontra con gli altri in piazza Carroccio e insieme proseguono per le vie del centro.

Una severissima commissione ha il compito di selezionare i costumi, gli strumenti musicali, le armi, i *paramenti* dei cavalli.

Nel tardo pomeriggio si corre, quindi, il *Palio*, a cui partecipano otto *fantini*, uno per contrada.

Questa corsa, in realtà, non fa parte della più antica tradizione: è stata aggiunta successivamente, ad imitazione, forse, del più famoso Palio di Siena, per rendere la giornata ancora più ricca di emozioni.

◆ **Questionario**

---

1) Chi era Federico Barbarossa?
2) Perché i Comuni dell'Italia centro-settentrionale aderirono alla Lega?
3) Dove si trova Legnano?
4) Che importanza ebbero i "Cavalieri della morte" nella battaglia?
5) Che cosa era il Carroccio?
6) Quanti fantini partecipano al Palio?

Stendardo: bandiera.
Carosello: sfilata, corteo di cavalieri o di auto per le vie di una città.
Corteo: ibidem p. 24.
Paramenti: gli ornamenti che servono a "vestire" il cavallo.
Palio: ibidem p. 19.
Fantino: ibidem p. 19.

◆ Scelta multipla

1) Nell'Impero di Federico Barbarossa spesso scoppiavano
   a) insurrezioni
   b) guerre
   c) sommosse

2) Federico Barbarossa nel 1152
   a) fu sconfitto
   b) divenne Imperatore
   c) morì

3) L'intervento dei "Cavalieri della morte" fu
   a) decisivo
   b) inutile
   c) importante

4) Federico
   a) accettò le richieste dei Comuni.
   b) rifiutò
   c) discusse

5) Il simbolo dei Comuni della Lega era
   a) uno stendardo bianco con croce rossa
   b) uno stendardo rosso con croce bianca
   c) uno stendardo bianco e rosso

6) Il Palio di Legnano è
   a) più antico di quello di Siena
   b) una imitazione di quello di Siena
   c) diverso da quello di Siena

◆ Trovare delle espressioni che contengano le seguenti parole:

Barba, esempio, battaglia, mille, croce.
(Es. croce: *mettere in croce; fare a testa e croce; a occhio e croce; ognuno ha la sua croce; essere croce e delizia...*)

◆ Indicare se sono sinonimi o contrari

		S	C
Tramonto	alba	❏	❏
Sviluppo	evoluzione	❏	❏
Estendere	espandere	❏	❏
Vasto	esteso	❏	❏
Tassa	tributo	❏	❏
Inviare	ricevere	❏	❏
Punire	premiare	❏	❏
Decisivo	risolutivo	❏	❏

◆ Trovare per ogni nome delle qualificazioni adatte

Vittoria, tassa, territorio, fedeltà, battaglia, barba.
(Es. barba: *lunga, corta, incolta, ispida, morbida, dura...*)

◆ Formare una famiglia di parole

Battaglia, difendere, bianco, combattere, rosso, barba.
(Es. barba: *barboso, barbone, barbetta...*)

◆ Trovare dei nomi riferibili ai seguenti aggettivi

Grande, ribelle, breve, grosso, antico, pesante.
(Es. pesante: *industria, trasporto, mano, aria, battuta, droga, sonno...*)

◆ Completare con le preposizioni

La manifestazione comincia la mattina ... una cerimonia religiosa ... piazza S. Magno, e prosegue ... pomeriggio ... il carosello storico: ... ognuna ... otto contrade parte un corteo, che si incontra ... gli altri ... piazza Carroccio e insieme proseguono ... le vie ... centro.

Una severissima commissione ha il compito ... selezionare i costumi, gli strumenti musicali, le armi, i paramenti ... cavalli. ... tardo pomeriggio si corre, quindi, il Palio, ... cui partecipano otto fantini, uno ... contrada.

Questa corsa, ... realtà, non fa parte ... più antica tradizione: è stata aggiunta successivamente, ... imitazione, forse, ... più famoso Palio ... Siena, ... rendere la giornata ancora più ricca ... emozioni.

◆ Per la creatività e per la verifica

- Completare delle frasi del testo con parole proprie
- Rimettere in ordine logico le parti, date in disordine, di una frase
- Rimettere in ordine logico le frasi, date in disordine, del testo
- Fare una sintesi orale e scritta del testo
- Raccontare vicende analoghe (in forma scritta e orale)
- Trovare musiche, canzoni, immagini relative al testo
- Fare una ricerca storica sull'argomento

Il carnevale di Bagolino

Bagolino è un piccolo centro in provincia di Brescia, famoso per l'industria del legno e per il carnevale veramente originale durante il quale ci sono due protagonisti assoluti: le Maschere e i Ballerini.

A partire dal 6 gennaio, festa dell'Epifania, fino alla fine del carnevale, le maschere girano per il paese singolarmente o a piccoli gruppi: si rinnova così l'usanza dei giovani che tanto tempo fa, in questo periodo dell'anno, si mascheravano per andare a far visita alle fidanzate sul posto di lavoro.

Oggi che le abitudini sono molto cambiate, gli abitanti di Bagolino, uomini e donne, travestiti in modo da non essere riconosciuti, vanno in giro facendo scherzi di ogni tipo, sicuri che nessuno protesterà perchè, come dice un antico proverbio, "a carnevale ogni scherzo vale".

Il travestimento è curato nei minimi particolari, poiché il gioco e il divertimento sono possibili se la persona mascherata non viene riconosciuta.

È necessario, quindi, fare molta attenzione ai gesti, al modo di camminare, al timbro della voce.

Il costume è per tutti quello tradizionale dei contadini; ai piedi portano zoccoli di legno, scomodi e rumorosi.

Entrano in ogni casa, dove sono accolti con cordialità e simpatia: a tutti vengono offerti dolci tipici e un buon bicchiere di vino. Completamente diverso è il modo di far festa dei ballerini: negli ultimi due giorni di carnevale, dalla mattina alla sera, si esibiscono in ventiquattro balli diversi, accompagnati da un trio formato da un *violino*, da una chitarra e da un contrabbasso che eseguono musiche dolci e suggestive del XVI secolo, tramandate di padre in figlio.

Anche ballerini e suonatori sono accuratamente travestiti, ma al contrario delle maschere indossano vestiti che andavano di moda nel Seicento.

I ballerini portano attaccati al cappello dei piccoli oggetti d'oro (orecchini, spille, anelli) prestati da amici e conoscenti: si dice che portino fortuna al donatore e a chi li riceve.

Alla fine della giornata vengono restituiti ai proprietari.

Violino: nel sec. XVI nelle province di Brescia e di Cremona operavano i primi liutai, cioè costruttori di violino, che precedettero i famosissimi Stradivari e Guarneri. A Bagolino già nel 1551 è documentato l'uso del violino.

Gasparo Bertoletti, detto *Gasparo da Salò* (1540-1609) è considerato il padre, il creatore del violino.

Guarneri Giuseppe Antonio (1687-1757) è il più famoso di una numerosa famiglia di liutai. Per distinguerlo dagli altri tutti lo chiamavano *Guarneri del Gesù*, perchè su ogni violino che costruiva incideva il monogramma di Gesù Cristo.

Ballerini e suonatori girano per il paese e si fermano per eseguire delle danze davanti all'abitazione di chi ha prestato i *monili* d' oro, o sotto la finestra di qualche bella ragazza.

Nel periodo di carnevale a Bagolino fa molto freddo, ma nessuno sembra sentirlo: l'allegria e qualche bicchiere di vino riscaldano il corpo e l'anima! A conferma dell'attaccamento degli abitanti di Bagolino a questa festa possiamo ricordare un vecchio *detto* molto popolare: *"Dopo le sante feste de Nadal, le santissime de carnaval"*!

◆ **Questionario**

1) Dove si trova Bagolino?
2) Che tipo di vestito hanno le maschere?
3) Quale spettacolo offrono i ballerini e i suonatori?
4) Quali strumenti musicali accompagnano i ballerini?
5) Da cosa sono abbelliti i cappelli dei ballerini?

◆ **Scelta multipla**

1) Le maschere sono accolte nelle case con
   a) gentilezza
   b) allegria
   c) diffidenza

2) Le musiche eseguite dal trio
   a) sono tramandate oralmente
   b) ogni anno cambiano
   c) sono tutte dello stesso autore

3) I ballerini indossano vestiti
   a) della tradizione contadina
   b) del sec. XVI
   c) di periodi diversi

4) Ai cappelli vengono attaccati
   a) nastri colorati
   b) monili
   c) fiori

Stradivari Antonio (1648-1737), famosissimo liutaio di Cremona, ha costruito quattrocento violini dal suono inimitabile e dal prezzo irraggiungibile per la maggior parte delle persone. Possedere un suo violino è il sogno di ogni violinista.
Monili: piccoli oggetti d'oro e d'argento.
Detto: proverbio.

◆ **Trovare delle espressioni che contengano le seguenti parole:**

Voce, scherzo, gioco, freddo.
(Es. freddo: *guerra fredda; non mi fa nè caldo nè freddo; mostrarsi freddo; a sangue freddo...*)

◆ **Indicare se sono sinonimi o contrari**

		S	C
Fine	termine	☐	☐
Mascherare	smascherare	☐	☐
Minimo	massimo	☐	☐
Divertirsi	annoiarsi	☐	☐
Riscaldare	raffreddare	☐	☐
Attento	svagato	☐	☐
Rumoroso	chiassoso	☐	☐
Accuratamente	diligentemente	☐	☐
Elegante	trasandato	☐	☐

◆ **Trovare per ogni nome delle qualificazioni adatte**

Scherzo, lavoro, gesto, voce, ballo, freddo, periodo.
(Es. periodo: *critico, difficile, tranquillo, incerto, favorevole, lungo, breve...*)

◆ **Formare una famiglia di parole**

Legno, gruppo, freddo, ricco, lavoro.
(Es. lavoro: *lavorìo, lavoraccio, lavoretto, lavorone, lavoratore, laboratorio, laborioso...*)

◆ Dal verbo al nome

Partire   la partenza
Organizzare
Usare
Visitare
Lavorare
Cambiare
Riconoscere
Divertire
Offrire
Ballare
Suonare
Riscaldare
Ricordare

◆ Completare con le preposizioni

... partire ... 6 gennaio, festa ...'Epifania, fino ... fine ... carnevale, le maschere girano ... il paese singolarmente o ... piccoli gruppi, senza una precisa organizzazione: si rinnova così l'usanza ... giovani che tanto tempo fa, ... questo periodo ... anno, si mascheravano ... andare ... far visita ... fidanzate ... posto ... lavoro.

Oggi che le abitudini sono molto cambiate, gli abitanti ... Bagolino, uomini e donne, travestiti ... modo ... non essere riconosciuti, vanno ... giro facendo scherzi ... ogni tipo, sicuri che nessuno protesterà perchè, come dice un antico proverbio,"... carnevale ogni scherzo vale".

◆ Per la creatività e per la verifica

- Completare delle frasi del testo con parole proprie
- Rimettere in ordine logico le parti, date in disordine, di una frase
- Rimettere in ordine logico le frasi, date in disordine, del testo
- Fare una sintesi orale e scritta del testo
- Raccontare vicende analoghe (in forma scritta e orale)
- Trovare musiche, canzoni, immagini relative al testo
- Fare una ricerca storica sull'argomento

RICETTA TIPICA

COTOLETTE
ALLA MILANESE
(dosi per sei persone)

sei costolette di vitello con osso
due uova
pane grattugiato
burro per friggere
un limone

Comprare delle costolette alte quanto l'osso e batterle bene, poi salarle e immergerle nelle uova sbattute.
Passarle nel pane grattugiato, facendolo aderire bene alla carne, quindi friggerle nel burro caldo spumeggiante. Mettere sopra degli spicchi di limone.

RICETTA TIPICA

OSSIBUCHI
CON PURÈ
(dosi per quattro persone)

quattro grossi ossibuchi
gr. 50 di burro
aglio
farina
un bicchiere di vino bianco
quattro pomodori pelati e tritati
pepe

Per la gremolata*:
una manciata di prezzemolo
scorza di mezzo limone
uno spicchio d'aglio

Fare rosolare* due spicchi d'aglio nel burro, quindi toglierli e mettere nel burro gli ossibuchi infarinati. Farli rosolare bene e bagnare ogni tanto con vino mescolato ad acqua.
Aggiungere i pomodori tritati* e fare cuocere.
Per preparare la gremolata tritare finemente mezzo spicchio d'aglio, la scorza di limone ed il prezzemolo, ed unire tutto alla carne pochi minuti prima di toglierla dal fuoco. Servire con purè di patate o con risotto giallo. Vino consigliato: Grumello.

Gremolata: contorno tipico
Rosolare: cuocere per poco tempo a fuoco vivo.
Tritare: ibidem p. 42.

Veneto

Prende il nome dai Veneti, antica popolazione che vi si stabilì intorno al 1200 a.C..

La storia del Veneto è strettamente legata a quella di Venezia, infatti quando questa era una grande potenza commerciale tutta la regione viveva nel benessere; la decadenza di Venezia (sec. XVIII) ha trasformato lentamente la regione in una terra di emigranti.

Fino agli anni cinquanta moltissimi se ne sono andati in cerca di lavoro e di migliori condizioni di vita, soprattutto in Sud America.

La situazione economica è molto migliorata in pochi anni grazie a numerose e ben organizzate piccole e medie industrie e al turismo, sia estivo che invernale, per cui il Veneto è attualmente una delle zone più ricche d'Europa.

La regata storica e lo sposalizio del mare

Venezia è visitata ogni anno da milioni di turisti, attratti dalle sue bellezze artistiche e dal suo originale *assetto* urbanistico: è infatti disposta su centodiciotto isole, divise fra loro da centosessanta canali collegati da quattrocento ponti.

Forse, però, non tutti sanno perchè è nata su un gruppo di isole: alla fine del IV secolo d.C. l'Impero Romano era in profonda crisi e non riusciva più a respingere i barbari che dall'Europa orientale tentavano di entrare nei suoi territori.

I più crudeli e feroci erano gli Unni che seminarono terrore e morte in molte zone d' Europa.

Nel 452 arrivarono anche in Italia, dove *saccheggiarono* e bruciarono la città di Aquileia; i pochi superstiti si rifugiarono su alcune isolette della laguna dove costruirono le prime abitazioni dell'odierna Venezia.

A partire dal sec. X, grazie alla sua favorevole posizione geografica, all'abilità dei suoi mercanti e alla saggezza politica dei suoi governanti, Venezia diventò la più grande potenza mercantile marinara d'Europa: i prodotti più pregiati, soprattutto la seta, che arrivavano dall'India e dalla Cina, venivano comperati dai veneziani e rivenduti in Occidente.

La città celebra il suo glorioso passato con la *Regata* storica, alla quale partecipano diciotto imbarcazioni; la prima Regata fu organizzata il 10 gennaio 1315, quando era Doge (governatore) Giovanni Soranzo.

A differenza di altre rievocazioni storiche che di solito si svolgono una volta l'anno, la regata si tiene quattro volte, la prima delle quali in maggio: in questa occasione un corteo in costume, in gondola, ricorda il triste ritorno a Venezia di Caterina Corner, regina dell'isola di Cipro, costretta dai Turchi ad abbandonare il suo regno nel XVI sec.; il terzo sabato di luglio c'è la seconda, in occasione della festa di Cristo Redentore.

La terza, la più importante, è in settembre, e viene chiamata reale perché tradizionalmente è dedicata ad ospiti molto illustri; la quarta, infine, è in novembre, ed è detta della salute, perché la prima volta fu organizzata per chiedere alla Madonna della Salute protezione da una *epidemia*.

Assetto: struttura, disposizione, conformazione.
Saccheggiare: rubare, portare via tutto quello che ha valore.
Regata: gara di velocità tra imbarcazioni.
Epidemia: malattia infettiva che si diffonde rapidamente.

In occasione di ogni regata vengono assegnati quattro premi: l'*equipaggio* che arriva primo vince una borsa di denaro legata ad una bandiera rossa; al secondo classificato va una borsa più piccola e una bandiera verde; il terzo riceve una bandiera celeste, mentre al quarto toccano una bandiera gialla e un porcellino vivo, considerato animale ignobile.

La gara viene disputata su bellissime gondole, dette bissone; gli equipaggi vestono tipici costumi *rinascimentali*, con colori diversi per ogni gruppo.

Lo spettacolo delle gondole che lottano per la vittoria e le grida della folla che applaude per tutto il percorso sono momenti indimenticabili. Ma la festa più amata dai veneziani si svolge in maggio, il giorno dell'*Ascensione*:

Quel giorno, nel 997, la flotta veneziana guidata dal Doge Pietro Orseolo sconfisse i pirati che rendevano pericolosa la navigazione nel mare Adriatico e conquistò l'Istria e la Dalmazia; ebbe così origine l'Impero di Venezia, che divenne signora del Mediterraneo. Per ricordare questo importante avvenimento il Doge ed il Vescovo di Venezia salgono su una nave bellissima, chiamata *Bucintòro*, costruita ogni anno per questa occasione. Arrivati alla chiesa di San Nicolò, il Vescovo benedice un anello e lo dà al Doge che lo getta in mare pronunciando una formula antichissima: "Mare, noi ti sposiamo in segno del nostro vero e perpetuo dominio".

La cerimonia si tiene dal sec. XIII, da quando il Papa Alessandro III, venuto a Venezia per incontrare l'Imperatore Federico Barbarossa, offrì al Doge un anello per riconoscere la potenza della città.

◆ **Questionario**

---

1) Perché l'assetto urbanistico di Venezia è particolare?
2) Chi erani gli Unni?
3) Con quali paesi commerciava preferibilmente Venezia?
4) Quando si svolgono le regate e quale è la più imporante?
5) Che cosa è il Bucintoro?
6) Che significato ha l'anello che il Doge getta in mare?

Equipaggio: gruppo di atleti di una imbarcazione.
Rinascimentale: che riguarda il Rinascimento, periodo di grande fioritura culturale e artistica dei sec. XV-XVI.
Ascensione: festa che ricorda l'ascesa di Cristo dalla terra al cielo. Si celebra quaranta giorni dopo la Pasqua.
Bucintòro: deriva da *bue-centauro*, nome di un animale fantastico che doveva spaventare i nemici.

1) Gli Unni
   a) distrussero la città di Aquileia
   b) arrivarono in Italia nel III sec. d.C.
   c) erano alleati degli antichi Romani

2) Venezia diventò una grande
   potenza commerciale
   a) perché aveva un grande esercito
   b) perché i suoi mercanti erano molto abili
   c) perché vendeva a buon mercato

3) Il 1 gennaio 1315
   a) nacque il Doge Giovanni Soranzo
   b) fu organizzata la prima regata
   c) iniziò una guerra contro i Turchi

4) La regata si disputa
   a) con le gondole
   b) con barche a remi
   c) con le canoe

◆ **Trovare delle espressioni che contengano le seguenti parole:**

Ponte, canale, secolo, borsa, verde, mare.
(Es. mare: *avere un mare di cose da fare; fra il dire e il fare c'è di mezzo il mare; essere in alto mare...*)

◆ **Indicare se sono sinonimi o contrari**

		S	*C*
Attrarre	respingere	❏	❏
Originale	autentico	❏	❏
Profondo	superficiale	❏	❏
Crudele	malvagio	❏	❏
Terrore	spavento	❏	❏
Saccheggiare	depredare	❏	❏
Favorevole	contrario	❏	❏
Protezione	difesa	❏	❏
Sconfiggere	battere	❏	❏
Benedire	maledire	❏	❏
Collegare	unire	❏	❏
Partenza	arrivo	❏	❏

◆ **Trovare per ogni nome delle qualificazioni adatte**

Prodotto, seta, borsa, nave, mercante.
(Es. mercante: *onesto, disonesto, ricco...*)

◆ **Formare il plurale**

Il turista   i turisti
L'imbarcazione
L'occasione
La rievocazione
L'ospite (m. e f.)
L'equipaggio
Lo spettacolo
Il pirata
L'anello
L'anno

◆ **Completare con le preposizioni**

    Venezia è visitata ogni anno ... milioni ... turisti, attratti ... sue bellezze artistiche e ... suo originale assetto urbanistico: è infatti disposta ... centodiciotto isole, divise ... loro ... centosessanta canali collegati ... quattrocento ponti.

    Forse, però, non tutti sanno perchè è nata ... un gruppo ... isole: ... fine ... IV secolo d.C. l'Impero Romano era ... profonda crisi e non riusciva più ... respingerei barbari che ... Europa orientale tentavano ... entrare ... suoi territori.

    I più crudeli e feroci erano gli Unni che seminarono terrore e morte ... molte Zone ... Europa.

    ... 452 arrivarono anche ... Italia, dove saccheggiarono e bruciarono la città ... Aquileia; i pochi superstiti si rifugiarono ... alcune isolette ... laguna, e ci costruirono le prime abitazioni ... odierna Venezia.

◆ Per la creatività e per la verifica

- Completare delle frasi del testo con parole proprie
- Rimettere in ordine logico le parti, date in disordine, di una frase
- Rimettere in ordine logico le frasi, date in disordine, del testo
- Fare una sintesi orale e scritta del testo
- Raccontare vicende analoghe (in forma scritta e orale)
- Trovare musiche, canzoni, immagini relative al testo
- Fare una ricerca storica sull'argomento

La partita a scacchi

È una delle feste popolari più note ed originali non solo del Veneto, ma di tutta l'Italia; si svolge nella seconda domenica di settembre solo negli anni pari; non si sa per quale motivo non si tenga in quelli dispari.

La partita ha origine da un fatto accaduto veramente a Marostica nel 1454.

Si racconta che Rinaldo e Vieri, due giovani appartenenti a famiglie nobili *rivali*, erano ambedue follemente innamorati della nobile Lionora la quale, come tutte le donne a quel tempo, non aveva la possibilità di scegliere fra i due *spasimanti*.

Nessuno dei due giovani, d'altra parte, aveva intenzione di rinunciare spontaneamente a lei, perciò l'unico modo di risolvere il problema era il duello.

Ma Parisio, padre di Lionora, non sopportava l'idea che un problema sentimentale si risolvesse con la violenza, e siccome era il *Castellano* di Marostica, *impose* ai due giovani di duellare non con le spade ma con gli scacchi.

Il vincitore avrebbe sposato Lionora, il perdente, come consolazione, avrebbe sposato Oldrada, la sorella di lei.

Visto che con quel duello si sarebbe deciso il matrimonio di tutte e due le sue figlie, messer Parisio volle che fosse un giorno di festa e di allegrìa indimenticabile.

Ci furono cortei, fuochi d'artificio e danze per tutto il giorno, e la partita a scacchi fu disputata con personaggi viventi.

Non si sa con certezza, purtroppo, chi vinse il duello: non esiste un documento scritto, poiché il fatto è stato tramandato di padre in figlio oralmente.

Comunque, a distanza di più di cinquecento anni, la gente di Marostica continua a ricordarlo con una simpatica rievocazione. La piazza principale della cittadina è stata trasformata in una enorme *scacchiera* con lastre di marmo bianche e rosse.

Lo spettacolo ha inizio con l'arrivo in piazza di un cavaliere che, su un cavallo nero, annuncia la sfida.

Rivale: concorrente, avversario.
Spasimante: innamorato.
Castellano: signore, governatore.
Imporre: obbligare, ordinare, comandare.
Scacchiera: tavola quadrata divisa in sessantaquattro spazi, anch'essi quadrati, a due colori alternati, per giocare a scacchi. I pezzi del gioco degli scacchi sono: il Re, la Regina, la torre (due), il cavallo (due), l'alfiere (due), i pedoni (otto), per un totale di sedici per squadra.

Subito dopo arriva il Castellano con le figlie accompagnati da tutta la nobiltà. Seguono i trentadue personaggi del gioco degli scacchi che si sistemano sulla scacchiera.

Nel silenzio più assoluto inizia la sfida: i movimenti dei vari pezzi sulla scacchiera vengono comunicati ad alta voce in modo che tutti possano sentire, nella lingua che si parlava nel XV secolo.

La sfida va avanti emozionante fino a quando uno dei due fa la mossa decisiva: è *"scacco matto"*.

Lionora si avvicina al vincitore , suo promesso sposo, e mano nella mano fanno il giro della piazza mentre le trombe suonano, i *tamburi* rullano e gli spettatori applaudono.

◆ **Scelta multipla**

---

1) La festa si svolge

    a) ad anni alterni
    b) tutti gli anni
    c) ogni tre anni

2) Lionora

    a) non poteva scegliere lo sposo
    b) non voleva scegliere lo sposo
    c) preferiva non scegliere lo sposo

3) Il vincitore del duello avrebbe sposato

    a) Oldrada
    b) Lionora
    c) la più bella della città

4) Durante la sfida gli spettatori

    a) applaudono
    b) stanno in silenzio
    c) gridano

Scacco matto: l'espressione "scacco matto" deriva dai vocaboli persiani "shan" = "re" e "matt" = "morto"; si usa per indicare che l'incontro è finito.

Tamburo: strumento musicale di legno o metallo a forma di cilindro che si colpisce nella parte superiore con delle bacchette di legno.

◆ Questionario

1) Dove si trova Marostica?
2) Perché Rinaldo e Vieri si sfidano a duello?
3) Chi vince il duello?
4) Perché Parisio si oppone al duello?
5) Chi perde il duello viene punito o riceve un premio di consolazione?
6) Come si chiama la mossa finale del gioco?

◆ Trovare delle espressioni che contengano le seguenti parole:

Famiglia, spada, fuoco, scacco.
(Es. scacco: *vedere il sole a scacchi; dare scacco matto; tenere in scacco...*)

◆ Indicare se sono sinonimi o contrari

		S	*C*
Pari	dispari	❑	❑
Follemente	pazzamente	❑	❑
Rivale	alleato	❑	❑
Spasimante	innamorato	❑	❑
Rinunciare	accettare	❑	❑
Spontaneo	forzato	❑	❑
Imporre	intimare	❑	❑
Disputare	competere	❑	❑
Emozionare	turbare	❑	❑
Matrimonio	divorzio	❑	❑

◆ **Trovare per ogni nome delle qualificazioni adatte**

Padre, mano, matrimonio, figlio, famiglia.
(Es: famiglia: *patriarcale, numerosa, agiata, benestante, legittima...*)

◆ **Formare una famiglia di parole**

Folle, duello, mano, amore, fuoco, rivale.
(Es: rivale: *rivalità, rivaleggiare...*)

◆ **Completare con le preposizioni**

Ma Parisio, padre ... Lionora, non sopportava l'idea che un problema sentimentale si risolvesse ... la violenza, e siccome era il Castellano ... Marostica, impose ... due giovani ... duellare non ... le spade ma con gli scacchi.

Il vincitore avrebbe sposato Lionora, il perdente, come consolazione, avrebbe sposato Oldrada, la sorella ... lei. Visto che ... quel duello si sarebbe deciso il matrimonio .. tutte e due le sue figlie, messer Parisio volle che fosse un giorno ... festa e ... allegria indimenticabile.

Ci furono cortei, fuochi ... artificio e danze ... tutto il giorno, e la partita ... scacchi fu disputata ... personaggi viventi.

◆ **Per la creatività e per la verifica**

• Completare delle frasi del testo con parole proprie
• Rimettere in ordine logico le parti, date in disordine, di una frase
• Rimettere in ordine logico le frasi, date in disordine, del testo
• Fare una sintesi orale e scritta del testo
• Raccontare vicende analoghe (in forma scritta e orale)
• Trovare musiche, canzoni, immagini relative al testo
• Fare una ricerca storica sull'argomento

BACCALÀ ALLA VICENTINA
(dosi per quattro persone)

gr.800 di baccalà
sale
un pò di farina
pepe
cannella
hg.1 di parmigiano
2 bicchieri di olio
1 spicchio d'aglio
4 acciughe salate
1 cucchiaio di prezzemolo
1 bicchiere di vino bianco
1 noce di burro
3/4 di litro di latte

Tagliare il baccalà, già tenuto in ammollo, a pezzi; infarinarlo e metterlo in un tegame. Condire con sale, pepe, un pizzico di cannella ed abbondante formaggio parmigiano grattugiato. Versare in un tegame due bicchieri di olio e farvi soffriggere due cipolle ed uno spicchio d'aglio tritati*. Far sciogliere in questo condimento quattro acciughe salate, lavate e diliscate.
A questo punto aggiungere un cucchiaio di prezzemolo tritato ed un bicchiere di vino bianco.
Quando il vino sarà evaporato*, aggiungere 3/4 di latte, una noce di burro e versate il tutto sul baccalà. Cuocere a fuoco lentissimo per quattro o cinque ore, smuovendo leggermente il tegame senza mescolare, finchè il liquido si sarà consumato. Servire caldissimo con polenta.
Vino consigliato: Bianco di Soave o Pinot.

Tritare: ibidem p. 42.
Evaporato: passato dallo stato liquido a quello gassoso.

Friuli Venezia Giulia ————————

Per la mancanza di veri ostacoli naturali, cioè alte montagne o grandi fiumi, il Friuli Venezia Giulia è, fin dai tempi più antichi, la zona di confine più facile da superare per entrare in Italia.

La sua posizione geografica ha sempre favorito l'incontro fra etnie, lingue e culture diverse.

Nelle province di Gorizia e di Trieste è praticato il bilinguismo, per la presenza di una minoranza di italiani di lingua slovena.

Nella provincia di Udine l'uso della lingua friulana è riconosciuto dalla legge.

Nel 1964 il Friuli Venezia Giulia ha ottenuto lo statuto di regione autonoma.

A Monrupino ci si sposa così

Nel piccolo paese di Monrupino, in provincia di Trieste, vicino al confine con la Slovenia, nell'ultima domenica di agosto si celebrano le nozze secondo una tradizione antichissima a cui la gente del posto è molto affezionata.

La festa, che ha i rituali fissati da un'usanza secolare e accettati da tutti come una norma, inizia il giovedì, quando i promessi sposi ed i loro amici festeggiano l'addio al *celibato*. I ragazzi organizzano un incontro in un ristorante tipico per far trascorrere allo sposo le ultime ore di "libertà" in allegria prima che diventi "prigioniero" della casa, degli orari, della moglie. Questa festa è vissuta come un gioco, ma fa capire bene i rapporti che regolavano un tempo la vita coniugale: l'uomo era ufficialmente il padrone, il capo della famiglia, ma la donna aveva comunque un ruolo fondamentale nella vita di coppia. Secondo un antico proverbio popolare il marito dice, infatti: "Il padrone sono io, ma comanda mia moglie!".

Il venerdì sera lo sposo e i suoi amici vanno sotto la finestra della sposa e le dedicano delle romantiche *serenate*, sperando che si affacci mostrando così di gradire la visita.

Dopo una lunga attesa si presenta invece la madre che getta loro un secchio d'acqua perchè disturbano la quiete notturna. Per fortuna è estate, e il bagno fuori programma non impedisce ai *menestrelli* di continuare a cantare, fino a quando la bella scende e premia con un bacio la pazienza e la costanza dell'innamorato.

Il sabato sera lei, accompagnata da amici e parenti, va dai suoceri per chiedere di essere accettata nella loro casa.

Porta con sè anche la dote, costituita da un certo numero di oggetti utili, fra i quali un letto, una *cassapanca*, una culla ed uno strumento per filare la lana. Un suo familiare, di solito un bambino, tiene fra le braccia una gallina, simbolo di fertilità e di protezione contro gli spiriti maligni.

La tradizione vuole che all'inizio l'incontro tanto atteso sia negativo, infatti la sposa viene guardata con sospetto, perché si sa molto poco di lei.

Allora intervengono gli amici, i quali esaltano la sua bellezza, la sua simpatia, le sue qualità morali ed anche il valore della dote.

Celibato: condizione di chi è celibe, cioè uomo non sposato.
Serenata: canto di carattere popolare che si dedica alla donna amata; si esegue la sera, sotto la sua finestra.
Menestrello: personaggio medievale che recitava e cantava composizioni poetiche.
Cassapanca: mobile di legno dove anticamente le spose tenevano la biancheria.

Di fronte a queste convincenti argomentazioni tutto si risolve positivamente: avendola accolta in famiglia, il padre dello sposo accetta dalla nuora un fazzoletto ricamato e la madre il kolac, un pane dolce fatto in casa.

La domenica finalmente si va in chiesa per celebrare le nozze alle quali, però, può assistere solo chi indossa il costume tradizionale.

Dopo la cerimonia c'è un veloce spuntino a base di *spezzatino* con patate, poi tutti vanno al ristorante per il *banchetto* nuziale; lungo la strada ci si ferma agli incroci a ballare perché, secondo la tradizione, il ballo terrà gli spiriti maligni lontani dalla coppia.

Il pranzo di nozze è sempre lunghissimo, perché le *portate* sono numerose: fra di esse non mancano mai il brodo di manzo, il pollo fritto, le patate arrosto.

La festa si conclude sempre con un ballo al quale partecipano anche i giovani dei paesi vicini.

◆ **Questionario**

---

1) Dove si trova Monrupino?
2) Che tipo di rapporto c'era una volta fra moglie e marito?
3) Cosa succede il venerdì sera?
4) Come viene accolta la sposa dai futuri suoceri?
5) Quali doni ricevono da lei?
6) Quali piatti sono sempre presenti al banchetto nuziale?

Spezzatino: carne tagliata a pezzetti, cotta con pomodoro e verdure.
Banchetto: grande pranzo con molti invitati.
Portata: ognuno dei diversi piatti che si servono in un pranzo.

1) Monrupino si trova

    a) in Slovenia
    b) vicino alla Slovenia
    c) lontano da Trieste

2) Secondo un antico proverbio in casa

    a) comanda la moglie
    b) comanda il marito
    c) c'è parità fra i coniugi

3) La madre della sposa si affaccia e

    a) offre dell'acqua ai suonatori
    b) getta dell'acqua addosso ai suonatori
    c) chiede un secchio d'acqua

4) La sposa offre come portafortuna

    a) una gallina
    b) un fazzoletto ricamato
    c) un dolce tipico

◆ **Trovare delle espressioni che contengano le seguenti parole:**

Moglie, gioco, tempo, acqua, braccio, nozze.
(Es. nozze: *nozze d'argento; nozze d'oro; nozze di diamante; andare a nozze...*)

◆ **Indicare se sono sinonimi o contrari**

		S	C
Rifiutare	respingere	❏	❏
Norma	regola	❏	❏
Separare	unire	❏	❏
Trascorrere	passare	❏	❏
Fondamentale	essenziale	❏	❏
Concludere	iniziare	❏	❏
Gradire	accettare	❏	❏
Quiete	tranquillità	❏	❏
Costanza	incostanza	❏	❏
Utile	inutile	❏	❏
Fertile	sterile	❏	❏
Respingere	accettare	❏	❏

◆ **Trovare per ogni nome delle qualificazioni adatte**

Gioco, rapporto, attesa, acqua, strumento, orario.
(Es. orario: *flessibile, continuato, ferroviario, feriale, festivo, estivo, invernale, di ricevimento, di chiusura, di apertura...*)

◆ **Formare una famiglia di parole**

Ballare, acqua, braccia, tempo, indossare.
(Es. indossare: *indossatore, indossatrice...*)

◆ **Completare con le preposizioni**

... piccolo paese ... Monrupino, che è ... provincia ... Trieste, vicino ... confine ... la Slovenia, ... ultima domenica ... agosto si celebrano le nozze secondo una tradizione antichissima ... cui la gente ... posto è molto affezionata.

La festa, che ha i rituali fissati ... un'usanza secolare e accettati ... tutti come una norma, inizia il giovedì, quando i promessi sposi ed i loro amici festeggiano, separati, l'addio ... celibato.

I ragazzi organizzano un incontro ... un ristorante tipico ... far trascorrere ... sposo le ultime ore ... libertà ... allegria prima che diventi "prigioniero" ... casa, ... orari, ... moglie.

◆ **Per la creatività e per la verifica**

• Completare delle frasi del testo con parole proprie
• Rimettere in ordine logico le parti, date in disordine, di una frase
• Rimettere in ordine logico le frasi, date in disordine, del testo
• Fare una sintesi orale e scritta del testo
• Raccontare vicende analoghe (in forma scritta e orale)
• Trovare musiche, canzoni, immagini relative al testo
• Fare una ricerca storica sull'argomento

RICETTA TIPICA

GOLAS*
(dosi per quattro persone)

hg.4 di carne (muscolo)
hg.4 di cipolla
gr.80 di lardo
una cucchiaio di conserva di
pomodoro
un pizzico di paprika
un mazzetto di erbe odorose
(rosmarino, origano, alloro)

Rosolare il lardo tagliato a pezzettini, farvi cuocere la cipolla tagliata grossa, aggiungere la carne a pezzi. Cuocere a fuoco vivace per alcuni minuti aggiungendo il mazzetto di erbe e la paprika.
Bagnare con la conserva di pomodoro sciolta in acqua calda. Coprire la pentola e cuocere lentamente a calore basso. Insieme al Golas servire patate calde bollite e spellate.
Vino consigliato: Teroldego.

Golas: è una parola dialettale. In italiano si dice *spezzatino*.

Trentino Alto Adige

Gode di uno statuto di autonomia ed è divisa nelle province di Trento e di Bolzano.

In quest'ultima è praticato il bilinguismo, perchè gli italiani di lingua tedesca sono molto numerosi.

Come tutti i territori di confine ha subìto l'influenza di molte etnìe e culture.

È una regione che richiama un alto numero di turisti per le bellezze artistiche, naturalistiche e per il grande numero di località di montagna, ideali per soggiorni estivi e sport invernali.

Occupa la parte superiore del corso del fiume Adige da cui prende il nome.

Le nozze sulla neve a Castelrotto

A Castelrotto, in provincia di Bolzano, ci si sposava soltanto in inverno, a gennaio, perchè nelle altre stagioni i lavori agricoli impegnavano così tanto uomini e donne che non c'era il tempo per pensare a sposarsi.

L'ultimo matrimonio secondo questa tradizione è stato celebrato nel 1964: il passaggio dall'economia agricola a quella industriale ha cambiato molto le abitudini ed il ritmo di vita a cui le antiche tradizioni erano legate, e ne ha provocato l'abbandono.

Oggi il matrimonio sulla neve esiste solo come rievocazione, per non perdere il legame con il passato e per soddisfare la curiosità dei numerosi turisti.

Ci sono, però, molte richieste di celebrare così matrimoni veri, come un tempo, quando si seguiva fedelmente un antico ed affascinante rituale, di cui gli anziani erano i più fedeli custodi.

Un cerimoniere passava di casa in casa ad annunciare il giorno di festa e per raccogliere i regali per gli sposi.

La mattina delle nozze si ripeteva un'antica usanza: un gruppo di musicanti svegliava la sposa con canzoni augurali, poi arrivava la sarta che la aiutava a vestirsi.

Quel giorno tutti indossavano il costume tradizionale e dal modo di *acconciare* i capelli, o da qualche particolare dell'abbigliamento, era possibile capire il ruolo o la condizione sociale di ognuno.

La sposa metteva un cappello verde, invece lo sposo aveva un fiore, un bel garofano rosso, all'*occhiello* della giacca.

Il cerimoniere si distingueva dagli altri perché sul suo cappello erano attaccate delle piume nere di uccelli esotici.

Le donne sposate si *intrecciavano* i capelli dietro la *nuca*; quelle ormai destinate a rimanere *nubili* li legavano sopra la testa.

Le ragazze che si sarebbero sposate presto portavano un cappello ornato con foglie d'oro e d'argento; le donne anziane, infine, ne avevano uno a forma di cono.

Le nozze si celebravano la mattina presto alla presenza solo dei genitori e dei testimoni, ma gli amici organizzavano sempre qualche scherzo per

Acconciare: tagliare, sistemare i capelli.
Occhiello: apertura, foro.
Intrecciare: legare i capelli molto lunghi come una corda o treccia.
Nuca: parte posteriore del collo.
Nubile: non sposata.

ritardare il matrimonio: di solito bloccavano con tronchi d'albero la strada che conduceva in chiesa, oppure *rapivano* la sposa.

Ma il momento più divertente era il racconto che gli amici facevano in pubblico dei fatti privati dei due sposi, soprattutto delle precedenti relazioni sentimentali che i due forse avrebbero voluto tenere nascoste.

Inoltre, con poesie o canzoni, ricordavano alla sposa alcuni "doveri" della moglie: far trovare sempre pronte le scarpe al marito quando usciva e le ciabatte quando rientrava; assisterlo amorosamente quando tornava ubriaco, e soprattutto stare molto attenta a risparmiare.

Nessuno ricordava i doveri di un buon marito!

Al termine della cerimonia nuziale gli invitati, preceduti dalla banda musicale, andavano a pranzo su magnifiche *slitte* trainate da cavalli.

Il banchetto si concludeva sempre con due dolci riservati agli sposi: uno era a forma di spirale e dovevano mangiarlo cominciando dai lati opposti fino ad incontrarsi per scambiarsi un bacio; l'altro era una torta decorata con delle piccole bambole, simbolo di fertilità.

Non c'era l'abitudine di fare il viaggio di nozze, perché le limitate possibilità economiche non lo consentivano, quindi alla fine dei festeggiamenti la coppia veniva accompagnata a casa, dove i soliti amici facevano trovare il letto smontato ed ammucchiato in un angolo della camera!

◆ **Questionario**

1) Perché i matrimoni a Castelrotto non si celebrano più secondo la tradizione?
2) Da che cosa si riconoscevano le donne sposate?
3) Cosa facevano gli amici per movimentare il giorno delle nozze?
4) A cosa servivano le slitte?
5) Che particolarità avevano i dolci nuziali?
6) Perché non facevano il viaggio di nozze?

Rapire: portare via una persona con la forza o con l'inganno.
Slitta: veicolo senza ruote, trainato da un animale, usato sulla neve e su superfici ghiacciate.

1) A Castelrotto si sposavano solo in inverno per
   a) mancanza di tempo
   b) risparmiare
   c) motivi religiosi

2) Il giorno del matrimonio le donne anziane portavano
   a) un cappello a forma di cono
   b) un cappello verde
   c) un cappello con le piume di un uccello esotico

3) Gli invitati andavano al pranzo di nozze
   a) su slitte
   b) a cavallo
   c) a piedi

4) Gli sposi
   a) raramente facevano il viaggio di nozze
   b) non facevano il viaggio nozze per motivi economici
   c) non facevano il viaggio di nozze per mancanza di tempo

◆ **Trovare delle espressioni che contengano le seguenti parole:**

Stagione, neve, sposo/a, cappello, scherzo, scarpa, cavallo, coppia, angolo, verde, camera.
(Es. camera: *camera oscura, camera ardente, camera d'aria, camera dei deputati, musica da camera, camera a gas...*)

◆ **Indicare se sono sinonimi o contrari**

		S	C
Legare	sciogliere	❑	❑
Provocare	causare	❑	❑
Regalo	dono	❑	❑
Esotico	nostrano	❑	❑
Precedente	seguente	❑	❑
Ubriaco	sbronzo	❑	❑
Risparmiare	sperperare	❑	❑
Concludere	finire	❑	❑
Limitato	illimitato	❑	❑
Consentire	permettere	❑	❑
Montare	smontare	❑	❑

◆ **Trovare per ogni nome delle qualificazioni adatte**

Neve, matrimonio, capelli, ritmo.
(Es. ritmo: *lento, veloce, musicale...*)

◆ **Formare una famiglia di parole**

Legare, rapire, condurre, treccia.
(Es. treccia: *treccina, trecciolina, intrecciare...*)

◆ **Trovare dei nomi riferibili ai seguenti aggettivi:**

Antico, affascinante, fedele, tradizionale, esotico, straordinario.
(Es. straordinario: *orario, treno, persona, viaggio, lezione, evento, fatto...*)

◆ **Formare il plurale**

La treccia   le trecce
L'uomo
La curiosità
Il turista
La giacca
Il tronco
L'ubriaco

◆ **Completare con le preposizioni**

... un paese ... provincia ... Bolzano, ... Castelrotto, ci si sposava soltanto ... inverno, ... gennaio, perchè ... altre stagioni i lavori agricoli impegnavano così tanto uomini e donne che non c'era il tempo perpensare ... sposarsi.
    L'ultimo matrimonio secondo questa tradizione è stato celebrato ... 1964: il passaggio ... economia agricola ... quella industriale ha cambiato molto le abitudini ed il ritmo di vita ... cui le antiche tradizioni erano legate, e ne ha provocato l'abbandono.

◆ Per la creatività e per la verifica

- Completare delle frasi del testo con parole proprie
- Rimettere in ordine logico le parti, date in disordine, di una frase
- Rimettere in ordine logico le frasi, date in disordine, del testo
- Fare una sintesi orale e scritta del testo
- Raccontare vicende analoghe (in forma scritta e orale)
- Trovare musiche, canzoni, immagini relative al testo
- Fare una ricerca storica sull'argomento

Viva la polenta!

Oggi la polenta è un piatto prelibato che si gusta nei migliori ristoranti, ma fino alla seconda guerra mondiale era il cibo quotidiano di tante famiglie: economico, facile e veloce da preparare, si combinava con qualsiasi tipo di condimento e riempiva lo stomaco, dando l'illusione di aver mangiato abbondantemente.

Per gli abitanti delle regioni del nord Italia era l'alimento base, come il pane per il centro-sud, ed era spesso l'unico rimedio contro la fame, poichè carne e formaggio costavano troppo, quindi erano riservati a giorni di festa. Il consumo continuo di polenta, povera di vitamina PP, provocava la *pellagra*, una malattia che poteva anche portare alla morte.

La polenta fa parte in modo particolare della storia, della cucina e della cultura trentina: a Trento, ogni anno, dal 22 al 26 giugno, durante le feste in onore di San Virgilio, antico vescovo ed attuale protettore della città, si organizzano giochi, danze folcloristiche e gare, come la Giostra dei Molinari ed il *Palio* dell'Oca.

L'avvenimento più spettacolare, però, è la gara fra i "Ciusi" ed i "Gobi" per il possesso di un *paiolo* di polenta; i Ciusi simboleggiano gli estranei che vogliono rubarlo, mentre i Gobi simboleggiano gli abitanti di Trento che cercano di impedirlo.

È importantissimo l'abbigliamento, che determina l'appartenenza ad uno dei due gruppi: i Ciusi indossano un costume con disegni quadrati di colore giallo e rosso, e pantaloni con una gamba rossa ed una gialla; indossano, inoltre, una maschera a forma di muso di maiale o di cane.

I Gobi hanno un giaccone contadinesco, poco *raffinato*, tenuto stretto ai fianchi da una corda e una maschera dal volto umano.

Qualche giorno prima della gara alcuni giovani, vestiti con i costumi dei due gruppi, vanno in giro per la città con una botte di vino sistemata su un carretto trainato da un somarello, ed invitano i passanti a bere e a far festa.

La sfida avviene, secondo la tradizione, davanti al Duomo.

In mezzo alla piazza delle donne cucinano la polenta in grandissimi paioli, circondate e protette dai Gobi; i Ciusi, sistemati intorno, aspettano il momento opportuno per conquistare la polenta con l'astuzia o con la forza: se

Pellagra: malattia che provoca danni alla pelle e disturbi nervosi.
Palio: ibidem p. 19
Paiolo: pentola di rame.
Raffinato: elegante, curato.

anche solo uno di loro ha successo, la squadra vince; se invece *fallisce* e viene fatto prigioniero, viene acculattato: è preso cioè per le braccia e le gambe, sollevato in aria e poi lasciato cadere, fino a sbattere il sedere per terra!

La sfida, che dura il tempo necessario per far cuocere la polenta, è controllata da severi arbitri affinchè tutto si svolga con lealtà e correttezza.

Al termine i vincitori, i vinti, le cuoche ed il pubblico fanno festa con gustosi piatti di polenta preparata secondo varie ricette tradizionali, e con altri piatti tipici come gli strangolapreti e i canederli.

Ogni piatto è naturalmente accompagnato dai favolosi vini locali: il Teroldego, il Cabernet, il Merlot.

◆ **Questionario**

1) Come mai la polenta era il cibo dei poveri?
2) Che tipo di malattia provoca la polenta? Perché?
3) Chi sono i Ciusi?
4) Come sono vestiti i Gobi?
5) In quale momento ha termine la sfida?
6) Cosa sono i Canederli?

◆ **Indicare se sono sinonimi o contrari**

		S	C
Prelibato	squisito	❑	❑
Abbondantemente	scarsamente	❑	❑
Combinare	unire	❑	❑
Illusione	certezza	❑	❑
Spesso	raramente	❑	❑
Rimedio	toccasana	❑	❑
Forestiero	straniero	❑	❑
Rubare	sottrarre	❑	❑

Fallire: sbagliare, non riuscire.

◆ **Scelta multipla**

1) La polenta era un cibo   a) molto nutriente
                                       b) ricco di vitamine
                                       c) economico

2) La polenta era un cibo tipico   a) del sud d'Italia
                                       b) del nord d'Italia
                                       c) delle famiglie ricche

3) I Ciusi   a) indossano un vestito poco elegante
                                       b) vogliono rubare la polenta
                                       c) sono di Trento

4) I Gobi   a) difendono la polenta
                                     b) indossano pantaloni gialli e rossi
                                     c) sono amici dei Ciusi

5) I Ciusi fatti prigionieri vengono   a) presi in giro
                                       b) mandati via
                                     c) acculattati

6) Teroldego è   a) un famoso vino trentino
                                     b) un famoso signore trentino
                                   c) un villaggio vicino a Trento

◆ **Trovare delle espressioni che contengano le seguenti parole:**

Stomaco, pane, muso, cane, gambe, braccia, botte.
(Es. botte: *dare un colpo al cerchio e uno alla botte; la botte piena e la moglie ubriaca; essere in una botte di ferro...*)

◆ **Trovare per ogni nome delle qualificazioni adatte**

Formaggio, cane, carne, aria, pane.
(Es. pane: *raffermo, stantìo, biscottato, duro, fresco, carrè, integrale...*)

Stomaco, festa, protettore, indossare, cucinare, braccia, illusione.
(Es. illusione: *illudere, illuso/a, disilluso, illusionismo, illusionista, illusorio...*)

◆ **Dal verbo al nome e viceversa**

Ingresso   entrare
Condire   condimento
Ristorare
Rimedio
Preparare
Festeggiare
Protezione
Simboleggiare
Manifestazione
Possesso
Indossatrice
Mascherare
Sistemazione
Cucina
Vittoria
Cottura
Direttore

◆ **Completare con le preposizioni**

Oggi la polenta è un piatto prelibato che si gusta ... migliori ristoranti, ma fino ... pochi decenni fa era il cibo quotidiano ... tante famiglie: economico, facile e veloce ... preparare, si combinava ... qualsiasi tipo ... condimento e riempiva lo stomaco, dando l'illusione ... aver mangiato abbondantemente.

... gli abitanti ... regioni ... nord Italia era l'alimento base, come il pane ... il centro-sud, ed era spesso l'unico rimedio contro la fame, poichè carne e formaggio costavano troppo, quindi erano riservati ... giorni ... festa. Il consumo continuo ... polenta, povera ... vitamina PP, provocava la pellagra, una malattia che poteva anche portare ... morte.

La polenta fa parte ... modo particolare ... storia, ... cucina e ... cultura trentina: ... Trento, ogni anno, durante le feste virgiliane, ... onore ... San Virgilio, antico vescovo ed attuale protettore ... città, che vanno ... 22 ... 26 giugno, si organizzano giochi, danze folcloristiche e gare, come la giostra ... Molinari ed il Palio ... Oca.

◆ **Per la creatività e per la verifica**

- Completare delle frasi del testo con parole proprie
- Rimettere in ordine logico le parti, date in disordine, di una frase
- Rimettere in ordine logico le frasi, date in disordine, del testo
- Fare una sintesi orale e scritta del testo
- Raccontare vicende analoghe (in forma scritta e orale)
- Trovare musiche, canzoni, immagini relative al testo
- Fare una ricerca storica sull'argomento

CANEDERLI ALLA TRENTINA

4 fette di pane vecchio
1 lucanica
(particolare tipo di salsiccia)
2 uova intere
2 etti di mortadella
1 ciuffo di prezzemolo tritato*
gr.250 di pane grattugiato
gr.100 di formaggio grana trentino grattugiato
sale e pepe

STRABOI

gr.300 di farina
2 uova
sale
1 bicchierino di grappa
2 cucchiai d'olio
latte
zucchero
olio per friggere

Colonna sinistra (CANEDERLI):

Prima di tutto preparare un buon brodo. Mettere a bagno in una terrina* il pane vecchio; amalgamare* bene con le mani. Aggiungere le uova, la lucanica tritata, la mortadella tagliata a pezzetti, il prezzemolo, il formaggio, il sale ed il pepe.

Amalgamare bene tutti gli ingredienti fra loro ed aggiungete per ultimo il pane grattugiato. Bagnare le mani e formare con l'impasto delle palle, tutte della stessa grossezza. Scolare il brodo, farlo bollire e buttarci dentro i Canederli uno alla volta. Quando saranno venuti a galla*, farli bollire per altri 10 minuti, quindi spegnere il fuoco e servire, aggiungendo dell'altro formaggio grana a piacere.
Vino consigliato: Tocai.

Colonna (STRABOI):

Preparate una pastella non troppo liquida con 2 tuorli* d'uovo, un pizzico di sale, la grappa, l'olio, la farina e il latte, quanto basta. Alla fine aggiungete le chiare* d'uovo montate a neve.
In una padella per friggere scaldate l'olio e, quando sara' bollente, versate la pasta con un imbuto formando disegni vari. Quando i dolci così preparati saranno ben cotti, toglieteli dall'olio ed metteteli su una carta assorbente. Serviteli spolverati di zucchero.
 Vino consigliato: Verduzzo.

Tritare: ibidem p. 42.
Tuorlo: ibidem p. 37.
Chiara (albume): la parte bianca dell'uovo.

Terrina: tegame, insalatiera
Amalgamare: mescolare, impastare
A galla: parzialmente immerso in un fluido.

Emilia Romagna

L'antica via Emilia, fatta costruire dal console romano M. Emilio Lepido nel 187 a.C., e che univa Rimini a Piacenza (km. 270), ha dato il nome alla parte nord-ovest della regione.

Il nome di Romania, poi Romagna, fu dato al territorio sud-est, perché non venne occupato dai Longobardi (sec.VI), ma rimase legato alla cultura romana.

L'Emilia Romagna è una zona molto sviluppata in ogni settore: agricoltura, industria, turismo.

In particolare il turismo ha un ruolo molto importante nell'economia della regione, soprattutto lungo la costa romagnola.

Sono molto frequentati i centri balneari di Rimini, Riccione, Cattolica, Cesenatico.

La segavecchia a Forlimpopoli

È la festa tradizionale più antica che si celebra in Romagna e come tante altre manifestazioni popolari in giro per l'Italia ha origine nel Medioevo.

A quel tempo durante la Quaresima, periodo di quaranta giorni che precede la Pasqua, era obbligatorio fare digiuno e penitenza e, in particolare, era assolutamente proibito mangiare carne; chi non rispettava questa *norma* veniva punito: gli uomini, tuttavia, se la cavavano sempre con punizioni leggere, mentre le donne colpevoli erano considerate *streghe*, e quindi condannate a morte.

La strega veniva accompagnata in processione per tutta la città, fino alla piazza principale, dove veniva bruciata fra le urla e gli *schiamazzi* della folla. Si racconta che una giovane donna *incinta*, la quale non resistette alla tentazione di mangiare un pezzo di carne durante la Quaresima, subì una condanna ancora più crudele: fu tagliata in due con una sega!

Questa morte terribile lasciò nel cuore della gente una profonda amarezza, e la vicenda della sfortunata ragazza veniva raccontata come esempio di disumanità.

Con il passare del tempo il racconto ha subìto un cambiamento totale, trasformandosi in una favola bella e allegra: così, da più di quattrocento anni, a metà Quaresima, a Forlimpopoli in provincia di Forlì, si festeggia la Segavecchia.

Protagonista non è una donna, ma un fantoccio di legno alto cinque metri con i lineamenti di una vecchia che indossa abiti brutti e *logori*.

Il giorno della festa viene sistemato su un carro e portato per le vie della città; lo seguono gruppi di persone mascherate che cantano e ballano, e inventori in cerca di gloria e di denaro che mostrano le loro invenzioni tanto geniali quanto strane e bizzarre: una volta, ad esempio, è stata presentata una bicicletta lunga quattordici metri!

Il corteo si conclude in piazza dove un *carnefice* con il volto coperto esegue la condanna a morte.

Norma: obbligo, regola da seguire.
Strega: donna capace di mettersi in rapporto con le energie del Male, per agire contro la religione e la società.
Schiamazzo: rumore, baccano, chiasso.
Incinta: si dice di una donna che sta per diventare madre.
Logoro: consumato.
Carnefice: giustiziere.

Prima dell'*esecuzione capitale* il Presidente del tribunale legge davanti ad una grande folla attenta e curiosa tutte le *malefatte* della vecchia.

In realtà si tratta delle illegalità e degli scandali che si sono verificati durante l'anno nella città, e di cui sono stati protagonisti politici, amministratori, professionisti o, comunque, persone conosciute da tutti a Forlimpopoli; ma siccome loro non possono essere puniti come si faceva una volta, la vecchia strega paga per tutti!

L'esecuzione è il momento più bello della festa ed è atteso con impazienza soprattutto dai bambini, perchè la grande pancia della vecchia è piena di cioccolatini, caramelle e giocattoli di ogni tipo, offerti dai negozianti della città.

Il boia *finge* di tagliare in due parti la condannata con un coltello, in realtà apre una *cerniera* appositamente sistemata sul fantoccio.

Siccome le spese per l'organizzazione della festa sono molte, è stata istituita una tassa che i numerosi visitatori pagano per entrare in paese; si rinnova perciò l'usanza medievale secondo la quale per tutti i forestieri l'ingresso a Forlimpopoli era a pagamento.

◆ **Questionario**

---

1) Dove si trova Forlimpopoli?
2) Che cosa avveniva durante la Quaresima nel Medioevo?
3) Perché una giovane donna fu tagliata in due parti, secondo la tradizione?
4) In quale periodo dell'anno si celebra la Quaresima?
5) Dove avveniva l'esecuzione capitale e per opera di chi?
6) Perché i bambini attendono con impazienza il momento dell'esecuzione?

Esecuzione capitale: uccisione del condannato a morte.
Malefatta: azione cattiva, malvagia.
Fingere: simulare.
Cerniera: detta anche "chiusura lampo"; dispositivo di chiusura per vestiti, borse.

◆ **Scelta multipla**

1) La Quaresima era un periodo di
    a) penitenza
    b) divertimento
    c) riposo

2) La vecchia indossa abiti
    a) antichi
    b) logori
    c) fuori moda

3) Il fantoccio di legno ha i lineamenti
    a) di un vecchio
    b) di una vecchia
    c) di una signorina

4) La Segavecchia si festeggia
    a) all'inizio di Quaresim
    b) a metà Quaresima
    c) a fine Quaresima

◆ **Trovare delle espressioni che contengano le seguenti parole:**

Scandalo, coltello, cuore, pancia, strega.
(Es. strega: *caccia alla strega, brutta come una strega...*)

◆ **Indicare se sono sinonimi o contrari**

		S	C
Obbligatorio	facoltativo	☐	☐
Norma	regola	☐	☐
Punire	premiare	☐	☐
Bruciare	ardere	☐	☐
Tentazione	desiderio	☐	☐
Indossare	vestire	☐	☐
Illegale	illecito	☐	☐
Ingresso	uscita	☐	☐
Inventare	ideare	☐	☐
Allegria	tristezza	☐	☐
Processione	corteo	☐	☐

◆ **Trovare per ogni nome delle qualificazioni adatte**

Carne, punizione, legno, folla.
(Es. folla: *festante, immensa...*)

◆ **Formare una famiglia di parole**

Accompagnare, tempo, vecchio, cantare.
(Es. cantare: *cantante, cantastorie, cantautore, canticchiare...*)

◆ **Completare con le preposizioni**

Si racconta che una giovane donna incinta, la quale non resistette ...tentazione ... mangiare un pezzo ... carne durante la Quaresima, subì una condanna ancora più crudele: fu tagliata ... due con una sega!

Questa morte terribile lasciò nel cuore ... gente una profonda amarezza, e la vicenda ... sfortunata ragazza si raccontava come esempio ... disumanità.

... il passare ... tempo il racconto ha subìto un cambiamento totale, trasformandosi ... una favola bella e allegra: così, ... più ... quattrocento anni, ... metà Quaresima, ... Forlimpopoli ... provincia ... Forlì, si festeggia la Segavecchia.

◆ **Per la creatività e per la verifica**

- Completare delle frasi del testo con parole proprie
- Rimettere in ordine logico le parti, date in disordine, di una frase
- Rimettere in ordine logico le frasi, date in disordine, del testo
- Fare una sintesi orale e scritta del testo
- Raccontare vicende analoghe (in forma scritta e orale)
- Trovare musiche, canzoni, immagini relative al testo
- Fare una ricerca storica sull'argomento

RICETTA TIPICA

TAGLIATELLE ALLA BOLOGNESE

Per la salsa alla bolognese:
un trito di gr.50 di prosciutto grasso e magro
un trito di 1/4 di cipolla, un pezzetto di carota, un
pezzetto di costa di sedano e 1/2 spicchio d'aglio
1 o 2 cucchiai d'olio
gr.250 di carne di manzo macinata grossa
gr.15 di funghi secchi tenuti a bagno
nell'acqua e ben strizzati e tritati* grossi
dl.1 di vino rosso secco
gr.200 di polpa di pomodoro tritata finemente
mezzo cucchiaio di farina
un pò di prezzemolo e maggiorana
tritati insieme
un pezzetto di burro
un pizzico di sale, pepe e noce moscata

Fare soffriggere in un tegame il trito di prosciutto con l'olio; aggiungere il secondo trito, già fatto cuocere un pò a parte con il burro, la carne macinata grossa e i funghi. Cuocere a calore moderato per qualche minuto, bagnare con il vino, aggiungere il trito di prezzemolo e maggiorana e condire con sale, pepe e noce moscata. Quando il vino è completamente evaporato*, togliere dal fuoco, aggiungere la farina e rimettere sul fuoco; dopo qualche secondo di cottura aggiungere il pomodoro. Far bollire la salsa piano piano, aggiungendo ogni tanto un cucchiaio d'acqua; togliere il tegame dal fuoco appena la salsa è diventata densa.

Tritare: ibidem p. 42.
Evaporato: ibidem p. 65.

Per le tagliatelle:
gr.500 di farina
5 uova
1 cucchiaino d'olio
sale
gr.100 di burro
gr.120 di parmigiano grattugiato

Fare un impasto con farina, uova, olio, un pizzico di sale e farlo riposare; stenderlo in due grandi sfoglie, infarinarle leggermente, ripiegarle più volte e tagliarle a tagliatelle poco più larghe di mezzo centimetro; aprirle immediatamente e sistemarle bene allargate sopra un panno leggermente infarinato; lasciarle asciugare un poco. Cuocere le tagliatelle in acqua bollente, abbondante e leggermente salata, toglierle dall'acqua al dente*; metterle in un piatto ben caldo e cospargerle con il burro a pezzetti, con metà parmigiano e metà della salsa.
Portare in tavola, mescolare e servire subito aggiungendo altro parmigiano e della salsa.
Vino consigliato: Sangiovese.

PROSCIUTTO DI PARMA CON FICHI

Il prosciutto di Parma, uno dei migliori al mondo, va servito affettato fino. I fichi vanno pelati completamente e disposti a piramide in una coppa di vetro; si tengono in frigorifero fino al momento di servirli. Possono anche essere serviti non pelati, ma tagliati a croce dalla parte del gambo per facilitarne la pelatura.
Vino consigliato: Pinot bianco.

Al dente: detto di cibo moderatamente cotto in modo che conservi una certa consistenza.

Toscana

Gli Etruschi abitavano l'antica Tuscia che corrisponde in gran parte all'odierna Toscana.

Questo popolo è stato protagonista di una importante civiltà che si sviluppò dal sec. VIII al sec. VI a.C., quando fu sottomesso dai Romani.

Oggi la Toscana, con le spiagge, le località termali, le città d'arte, gli incantevoli paesaggi e la buona cucina, attira milioni di turisti da tutto il mondo; Firenze, la città capoluogo della regione, è famosa per essere stata la culla della lingua italiana e della civiltà rinascimentale, e per essere uno dei centri mondiali della moda.

Il *Palio* di Siena

Il Palio di Siena è una delle più antiche e famose feste popolari italiane. Accorrono persone da ogni parte del mondo per vedere questo incredibile spettacolo: si calcola che nel momento culminante della festa si riuniscano nella piazza circa sessantamila spettatori.

La televisione trasmette l'avvenimento in mondovisione, per far vivere a centinaia di milioni di persone, in diretta, un'esperienza indimenticabile.

Fin dalle prime ore del pomeriggio la folla si sistema nella parte centrale della piazza (l'accesso è gratuito) per scegliere un buon punto di osservazione; qualcuno sale anche sui tetti!

Chi abita in un appartamento le cui finestre si affacciano sulla piazza è molto fortunato perché ha un'ottima visione e non paga nulla!

Altrettanto fortunati sono i loro amici che vengono invitati ad assistere allo spettacolo.

Per avere un posto nei palchi sistemati nella parte più alta della piazza, e da cui è possibile una perfetta visione, è necessaria la prenotazione; nonostante il prezzo molto alto la richiesta è sempre superiore alla disponibilità di posti.

La corsa del Palio ha origini molto antiche: ebbe inizio, probabilmente, nel 1200, quando Siena era divisa in numerose piccole contrade.

All'inizio era una gara fra nobili: partivano, con i loro cavalli da battaglia, dalla periferia della città per arrivare davanti alla cattedrale, mentre il popolo ai lati della strada incoraggiava il rappresentante della propria contrada.

A partire dal 1656 molte cose cambiano: il Palio non è più riservato ai nobili e si corre in piazza del Campo secondo le regole tuttora in vigore, anche se alcuni cambiamenti sono stati necessari.

Nel 1729, ad esempio, la città fu divisa in diciassette contrade (l'Aquila, il Bruco, la Chiocciola, la Civetta, il Drago, la Giraffa, l'Istrice, il Leocorno, la Lupa, il Nicchio, l'Oca, l'Onda, la Pantera, la Selva, la Tartuca, la Torre, Valdimontone), ma a causa degli incidenti dovuti all'eccessivo numero di partecipanti si stabilì che solo dieci, a rotazione, partecipassero alla gara.

La preparazione dura molti mesi, e coinvolge tutti. Il periodo più intenso inizia quattro giorni prima della corsa, quando i cavalli vengono portati in piazza per una visita, dopo la quale i dieci migliori vengono abbinati, per sorteggio, alle varie contrade. Da quel momento il cavallo viene ospitato in una accogliente stalla, dove è tenuto sotto controllo per impedire che venga rubato, o che qualche nemico gli dia da mangiare e da bere sostanze dannose.

Palio: ibidem p. 19.

Nel primo pomeriggio del giorno in cui si corre il Palio l'animale viene portato nella chiesa della contrada, per una cerimonia molto particolare: il sacerdote, dopo aver fatto baciare la croce al fantino, benedice il cavallo e gli augura: "Và e torna vincitore"!

I presenti ascoltano in silenzio, poi eseguono canti beneauguranti per loro, mentre per gli avversari invocano la sconfitta!

Alle diciotto c'è il corteo storico, durante il quale sfilano i rappresentanti delle dieci contrade con la bandiera e vengono liberati nel cielo centinaia di colombi, mentre il campanone della torre suona a *distesa*.

E finalmente c'è la corsa: i fantini cercano di controllare gli inquieti barberi (così si chiamano i cavalli che corrono il Palio) per fare una buona partenza, spesso decisiva per la vittoria.

Quando finalmente tutto è pronto si abbassa il *canapo* e...via! Si devono fare tre giri di 333 metri in un percorso molto irregolare perchè la piazza è a forma di conchiglia; il punto più pericoloso è la curva di San Martino, dove si verificano spesso delle rovinose cadute.

Per evitare conseguenze tragiche le curve vengono *tappezzate* con materassi o altro materiale morbido.

Secondo la tradizione la vittoria può essere assegnata anche ad un cavallo "scosso", cioè che taglia il traguardo senza il fantino, caduto durante la gara: l'importante è che la contrada vinca il tanto desiderato Palio, cioè un *drappo* ricamato e dipinto ogni anno da un artista diverso, preferibilmente senese.

Si corre due volte l'anno, il 4 luglio e il 16 agosto, e chi vince tutte e due le gare nello stesso anno, cosa rarissima, si dice che ha fatto "cappotto"; fino ad oggi la contrada che ha ottenuto più vittorie è quella dell'Oca: ben sessanta, la prima nel 1644, l'ultima nel 1996.

Non è una competizione sportiva vera e propria, infatti gli avversari possono ostacolarsi in ogni modo: l'importante non è partecipare, come insegna De Coubertin, ma vincere!

Alla fine i vincitori si abbracciano, ridono, piangono ed urlano di gioia, senza pensare alla rabbia e alla delusione degli avversari, soprattutto del secondo classificato: il secondo posto infatti ha lo stesso valore dell'ultimo, poichè solo il vincitore riceve il premio.

Solitamente per festeggiare si organizza un grandioso banchetto all'aperto, in piazza, al quale è invitato anche il cavallo! La festa va avanti per tutta la notte.

A distesa: con la massima intensità e durata.
Canapo: grossa corda fatta di canapa.
Tappezzare: coprire, rivestire.
Drappo: tessuto di lana o di seta ricamato o dipinto.

◆ Questionario

1) Quanto si paga per assistere dal palco alla corsa del Palio?
2) Che cosa è cambiato nelle regole e nell'organizzazione del Palio rispetto al 1200?
3) Perché la corsa è pericolosa?
4) Quante contrade partecipano?
5) Si può affermare che il secondo classificato è il più deluso? Perché?
6) Perché non è una vera competizione sportiva?

◆ Scelta multipla

1) Il Palio viene trasmesso
   a) in mondovisione
   b) in eurovisione
   c) in pay tv

2) Anticamente il Palio si correva
   a) in piazza del Campo
   b) in periferia di Siena
   c) dalla periferia alla cattedrale

3) Alla gara partecipano
   a) diciassette contrade
   b) dieci contrade
   c) sette contrade

4) Prima della partenza i cavalli sono
   a) irrequieti
   b) calmi
   c) pericolosi

5) Il Palio è
   a) un quadro
   b) una statua
   c) un drappo ricamato

6) La contrada che ha vinto più volte il Palio è
   a) l'Oca
   b) l'Onda
   c) l'Aquila

◆ **Trovare delle espressioni che contengano le seguenti parole:**

Cavallo, bandiera, cielo, punto.
(Es. punto: *di punto in bianco; punto di riferimento; punto morto; punto di vista; fare il punto; mettere i punti sulle i; punto vendita; venire al punto; arrivare a buon punto; essere sul punto di; a mezzogiorno in punto; mettere a punto...*)

◆ **Indicare se sono sinonimi o contrari**

		S	C
Incredibile	credibile	❑	❑
Riunirsi	adunarsi	❑	❑
Tardi	presto	❑	❑
Gratuito	a pagamento	❑	❑
Totale	parziale	❑	❑
Parecchio	poco	❑	❑
Probabilmente	forse	❑	❑
Incoraggiare	confortare	❑	❑
Cambiamento	trasformazione	❑	❑
Necessario	superfluo	❑	❑
Dividere	separare	❑	❑
Eccessivo	scarso	❑	❑
Accogliente	ospitale	❑	❑
Inquieto	agitato	❑	❑
Morbido	soffice	❑	❑
Competizione	gara	❑	❑
Urlare	gridare	❑	❑

◆ **Trovare per ogni nome delle qualificazioni adatte**

Esperienza, battaglia, periodo, ciclo, percorso, vittoria.
(Es: vittoria: *meritata, inaspettata, sudata, morale, grande, strepitosa, attesa...*)

Folla, corsa, cavallo, nobile, incoraggiare, croce, tardi.
(Es. tardi: *tardivo, tardare, attardarsi...*)

◆ Completare con le preposizioni

Il Palio ... Siena è una ... più antiche e famose feste popolari italiane.

Accorrono persone ... ogni parte ... mondo ... vedere questo incredibile spettacolo: si calcola che ... momento culminante ... festa, ... tardo pomeriggio, si riuniscano ... piazza circa sessantamila persone.

La televisione trasmette l'avvenimento ... mondovisione, ... far vivere ... centinaia ... milioni ... persone, ... diretta, un'esperienza indimenticabile.

Fin ... prime ore ... pomeriggio la folla si sistema ... parte centrale ...piazza (l'accesso è gratuito) ... scegliere un buon punto ... osservazione; qualcuno sale anche ... tetti!

... palchi, ... finestre e ... terrazze che si affacciano ... piazza la vista è totale e bellissima, ma i biglietti sono molto cari, ed occorre prenotarli parecchio tempo prima. La corsa ... Palio ha origini molto antiche: ebbe inizio, probabilmente, ... 1200, quando Siena era divisa ... numerose piccole contrade.

◆ Per la creatività e per la verifica

- Completare delle frasi del testo con parole proprie
- Rimettere in ordine logico le parti, date in disordine, di una frase
- Rimettere in ordine logico le frasi, date in disordine, del testo
- Fare una sintesi orale e scritta del testo
- Raccontare vicende analoghe (in forma scritta e orale)
- Trovare musiche, canzoni, immagini relative al testo
- Fare una ricerca storica sull'argomento

Il carnevale di Viareggio

A Viareggio e a Venezia si svolgono i due carnevali più famosi d'Italia.

Per molto tempo quello di Viareggio è stato semplice e spontaneo: la gente lo attendeva per passare una serata spensierata con gli amici e bere un bicchiere in loro compagnia.

Ma nel 1873 alcuni giovani organizzarono una sfilata di carrozze dalle quali, in costume e maschera, lanciavano caramelle e cioccolatini alla gente in festa.

La manifestazione ebbe un successo clamoroso; chi non aveva denaro per comprare un *costume* si arrangiava come poteva: gli uomini e le donne si scambiavano i vestiti, ed i bambini si imbiancavano la faccia con la farina, o se la annerivano con l'olio ed il fumo di candela: l'importante era *travestirsi* e divertirsi.

Nessuno avrebbe immaginato che un carnevale *alla buona* nato per il divertimento soltanto dei viareggini sarebbe diventato così importante. Già prima della seconda guerra mondiale era una delle manifestazioni più prestigiose d'Europa; nel 1931 venne scelta la maschera *Burlamacco* come simbolo del carnevale. In quel periodo la costruzione dei carri e la realizzazione della sfilata raggiunse un notevole livello di qualità grazie all'abilità di bravi artigiani.

Infatti, siccome i cantieri navali di Viareggio erano in crisi e c'era poco lavoro, molti smisero di fabbricare navi e si dedicarono alla costruzione dei carri di carnevale.

Da allora è nata la professione del "carrista", esperto nel progettare e realizzare carri ogni anno diversi, sorprendenti.

Una commissione tecnico-artistica seleziona i quindici migliori progetti del carnevale: nove per quelli di prima categoria (alti fino a 20 metri), sei per quelli di seconda categoria (alti fino a 9 metri e lunghi fino a 15).

Dopo mesi di progettazione e di duro lavoro, i carri sono finalmente pronti: hanno la forma di *vascelli* che ospitano più di duecento *figuranti* in maschera, agli ordini di un capitano che dirige i movimenti al ritmo della musica.

Costume: vestito tipico di un luogo o di un periodo storico.
Travestirsi: vestirsi in modo così strano da essere irriconoscibile.
Alla buona: in modo semplice, senza desiderio di perfezione.
Burlamacco: la maschera di Burlamacco prende il nome da Francesco Burlamacchi (1498-1548), personaggio politico molto importante di Lucca. Lottò a lungo per l'autonomia della sua città da Firenze. Anche a distanza di secoli è un personaggio molto popolare.
Vascello: grande nave a vela.
Figurante: ibidem p. 24.

C'è anche la sala macchina, nella quale l'*equipaggio* lavora per azionare il trattore che trasporta il carro, e per regolare manualmente il funzionamento delle numerose *marionette*.

Il loro movimento è un pò disarmonico ed irreale, ma è così tipico che i viareggini non accetterebbero mai di rinunciare alla tradizione facendola funzionare elettronicamente.

Questo carnevale si distingue dagli altri perchè oltre ad essere una festa, è anche un'occasione per criticare, per prendere in giro persone, mode e comportamenti, ma soprattutto per fare satira politica. Gli uomini di cultura, i politici, gli artisti nazionali ed internazionali sono i personaggi preferiti.

◆ **Questionario**

---

1) Come era il carnevale di Viareggio prima del 1873?
2) A cosa serviva la farina durante il carnevale?
3) Perché il 1931 è una data importante?
4) Come funzionano i carri?
5) Chi sono i carristi?
6) Perché il carnevale di Viareggio si distingue dagli altri?

◆ **Trovare delle espressioni che contengano le seguenti parole**

Maschera, olio, candela, faccia, carrozza.
(Es. carrozza: *andare in paradiso in carrozza; mozzarella in carrozza...*)

Equipaggio: gruppo di persone che provvede al funzionamento di una nave, di un aereo o di altri mezzi di locomozione.
Marionetta: figure umane di legno o di stoffa mosse per mezzo di fili.

◆ Scelta multipla

1) Il carnevale di Viareggio esiste

    a) dal 1873
    b) dal 1931
    c) dagli anni venti

2) I carri di seconda categoria sono lunghi

    a) 9 metri
    b) 15 metri
    c) 20 metri

3) Burlamacco è

    a) una maschera
    b) un quartiere di Viareggio
    c) un tipo di carro

4) Il movimento delle marionette è

    a) elettrico
    b) elettronico
    c) manuale

◆ Indicare se sono sinonimi o contrari

		S	C
Spontaneo	naturale	❑	❑
Spensierato	triste	❑	❑
Clamoroso	straordinario	❑	❑
Divertirsi	annoiarsi	❑	❑
Successo	insuccesso	❑	❑
Costruzione	distruzione	❑	❑
Notevole	pregevole	❑	❑
Smettere	interrompere	❑	❑
Disarmonico	armonico	❑	❑
Criticare	approvare	❑	❑
Reale	irreale	❑	❑

◆ Trovare per ogni nome delle qualificazioni adatte

Mano, olio, nave, cioccolato.
(Es. cioccolato: *al latte, fondente, caldo...*)

◆ **Formare una famiglia di parole**

Imbiancare, faccia, nave, mano, professione, lavoro.
(Es. lavoro: *lavorare, lavorante, lavoratore, lavorazione, lavoretto, lavoraccio...*)

◆ **Completare con le preposizioni**

Una commissione tecnico-artistica seleziona i quindici migliori progetti ... carnevale: nove ... quelli ... prima categoria (alti fino ... 20 metri), sei ...quelli ... seconda categoria (alti fino ... 9 metri e lunghi fino ... 15).
Dopo mesi ... progettazione e ... duro lavoro, i carri sono finalmente pronti: hanno la forma ... vascelli che ospitano più ... duecento figuranti ... maschera, ...ordini ... un capitano che dirige i movimenti ... ritmo ... musica.
C'è anche la sala macchina, ... quale l'equipaggio lavora ... azionare il trattore che trasporta il carro, e ... regolare manualmente il funzionamento ...numerose marionette.

◆ **Per la creatività e per la verifica**

• Completare delle frasi del testo con parole proprie
• Rimettere in ordine logico le parti, date in disordine, di una frase
• Rimettere in ordine logico le frasi, date in disordine, del testo
• Fare una sintesi orale e scritta del testo
• Raccontare vicende analoghe (in forma scritta e orale)
• Trovare musiche, canzoni, immagini relative al testo
• Fare una ricerca storica sull'argomento

La Pasqua fiorentina

Il giorno di Pasqua i fiorentini celebrano una *ricorrenza* nota come lo "scoppio del carro", le cui origini risalgono alla prima *Crociata*, svoltasi nell'XI secolo al comando di Goffredo di Buglione.

Alla crociata parteciparono anche dei fiorentini, guidati dal nobile e coraggioso Pazzo di Ranieri de' Pazzi, conosciuto anche come Pazzino.

Nel luglio del 1099 egli riuscì a salire sulle mura di Gerusalemme e vi piantò la bandiera dei Crociati; in premio Goffredo gli donò tre *frammenti* di pietra del Santo Sepolcro che Pazzino, tornato a Firenze nel 1101, conservò gelosamente nel suo palazzo.

Ogni Sabato Santo, secondo l'uso che aveva visto a Gerusalemme, *strofinava* le tre pietre per accendere, con la scintilla, un fuoco santo che regalava ai fiorentini perché proteggesse la loro casa.

Dalla chiesa di S. Maria in Porta partiva un cero acceso con questo fuoco santo che veniva accompagnato fra canti e preghiere fino alla chiesa di S. Maria del Fiore.

In seguito la famiglia de' Pazzi, per dare maggiore importanza all'avvenimento, fece costruire un grande carro per trasportare molti ceri contemporaneamente.

Veniva trainato fino alla piazza del Duomo da due buoi di razza chianina, tipica del sud della Toscana; il popolo lo soprannominò "Brindellone" per la sua andatura *tentennante*.

Nel 1487 i Pazzi organizzarono una *congiura* per assassinare Lorenzo de' Medici, detto il Magnifico, grande poeta, esperto uomo politico e Signore di Firenze, ma riuscirono ad uccidere solo Giuliano, suo fratello minore; Lorenzo allora *tolse* ai Pazzi l'organizzazione della festa e la affidò a un comitato popolare.

Dal sec.XVI la celebrazione avviene la mattina di Pasqua, e per rendere l'atmosfera più gioiosa e ricca di attesa è stata aggiunta la *colombina*.

Ricorrenza: festa che si celebra ogni anno.
Crociata: spedizione militare che i paesi di religione cristiana organizzarono nei sec. XI-XIII in Palestina per liberare il Santo Sepolcro dai Musulmani.
Frammento: pezzo.
Strofinare: muovere velocemente l'uno contro l'altro due oggetti posti a contatto.
Tentennante: oggetto in posizione instabile che si muove qua e là.
Congiura: accordo segreto fra più persone per eliminare un avversario politico.
Tolse: togliere.
Colombina: razzo, meccanismo a forma di colomba.

La mattina presto il grande carro, ornato di bandiere di tanti colori, viene posto davanti al Duomo.

Dal carro parte un filo di ferro che arriva fino all'altare maggiore della chiesa. A mezzogiorno in punto si accende la colombina; nel silenzio generale parte veloce e corre sul filo fino a colpire il Brindellone che prende fuoco simile a un fuoco d'artificio di tanti colori.

Se la cerimonia si svolge regolarmente le campane di tutte le chiese di Firenze suonano a festa, si liberano centinaia di colombi e la folla applaude entusiasta; se invece la colombina non parte, si ferma a metà, o il Brindellone non esplode, il fuoco viene acceso dai pompieri, ma c'è grande delusione generale, perché secondo la credenza popolare non sarà un anno fortunato.

◆ **Questionario**

1) Chi era Goffredo di Buglione?
2) Pazzino da chi ricevette tre frammenti di pietra?
3) Perché il carro fu soprannominato "Brindellone"?
4) Chi era Lorenzo il Magnifico?
5) Quale fatto importante successe nel 1487?
6) Perché a volte intervengono i pompieri?

◆ **Scelta multipla**

1) Pazzino ricevette da Goffredo
   a) alcuni pezzi di pietra
   b) una pietra
   c) molte pietre

2) Il carro fu soprannominato "Brindellone" perché
   a) oscillava qua e là
   b) era grosso
   c) era poco elegante

3) Lorenzo il Magnifico era
   a) un condottiero
   b) un uomo politico
   c) un pittore

4) Se il "Brindellone" non esplode
   a) si ripete la cerimonia
   b) c'è una grande delusione
   c) si rimanda la cerimonia

◆ Trovare delle espressioni che contengano le seguenti parole

Giorno, Pasqua, pazzo, bandiera, carro, famiglia, fuoco.
(Es. fuoco: *prova del fuoco; mettere la mano sul fuoco; scherzare col fuoco; essere tra due fuochi; il fuoco cova sotto la cenere; mettere a ferro e fuoco; mettere troppa carne al fuoco; versare acqua sul fuoco...*)

◆ Indicare se sono sinonimi o contrari

		S	C
Coraggioso	vigliacco	☐	☐
Frammento	pezzo	☐	☐
Aggiungere	togliere	☐	☐
Delusione	frustrazione	☐	☐
Regolarmente	correttamente	☐	☐
Avvenimento	evento	☐	☐

◆ Trovare per ogni nome delle qualificazioni adatte

Fratello, giorno, fuoco, poeta, uomo.
(Es. uomo: *preistorico, moderno, comune, qualunque, robusto, alto, atletico, attempato, maturo...*)

◆ Formare una famiglia di parole

Bandiera, accendere, partire, esperto, veloce, delusione, salire.
(Es. salire: *assalire, assaltare, salita, assalitore...*)

◆ Formare il plurale

Lo scoppio   gli scoppi
L'origine
Il muro
L'uso
Il poeta
Il politico
L'organizzazione
Il fuoco

◆ Completare con le preposizioni

    Il giorno ... Pasqua i fiorentini celebrano una ricorrenza nota come lo "scoppio ... carro", le cui origini risalgono ... prima Crociata, svoltasi ... XI secolo, ... comando ... Goffredo ... Buglione.

    ... crociata parteciparono anche ... fiorentini, guidati ... nobile e coraggioso Pazzo ... Ranieri dè Pazzi, conosciuto anche come Pazzino.

    ... luglio ... 1099 egli riuscì ... salire ... mura ... Gerusalemme e vi piantò la bandiera ... Crociati; ... premio Goffredo gli donò tre frammenti ... pietra ... Santo Sepolcro, che Pazzino, tornato ... Firenze nel 1101, conservò gelosamente ... suo palazzo.

◆ Per la creatività e per la verifica

• Completare delle frasi del testo con parole proprie
• Rimettere in ordine logico le parti, date in disordine, di una frase
• Rimettere in ordine logico le frasi, date in disordine, del testo
• Fare una sintesi orale e scritta del testo
• Raccontare vicende analoghe (in forma scritta e orale)
• Trovare musiche, canzoni, immagini relative al testo
• Fare una ricerca storica sull'argomento

Sempre a cavallo!

Se l'America ha i cow-boys, l'Italia ha i butteri.

La parola buttero deriva dal latino "bovum ductor", che significa bovaro, mandriano, proprio come cow-boy.

I butteri vivono nella Toscana meridionale, in provincia di Grosseto, e più precisamente nella Maremma, che è una pianura dalla fama *sinistra*, perché fino all'inizio del secolo lungo il mare Tirreno era assai diffusa la *malaria*, tanto che a metà dell'ottocento la vita media di un uomo in quelle zone era appena di venti anni!

Il lavoro del buttero era molto faticoso: doveva stare tutto il giorno in *sella*, sui tipici cavalli maremmani, pregiatissimi ma *ombrosi* e *bizzarri*, doveva controllare mandrie di centinaia di bovini, separandoli quando litigavano, riducendoli all'obbedienza quando si ribellavano, andandoli a riprendere quando scappavano.

I tori erano sicuramente i più pericolosi per la loro aggressività e per il loro peso: si pensi che un toro spagnolo da corrida pesa cinque o sei quintali, mentre il toro maremmano può arrivare anche a dodici.

Quando, decenni fa, la Maremma era un latifondo diviso tra proprietari terrieri, il buttero trascorreva gran parte della giornata a cavallo sulle rive del Tirreno, nei torrenti, nel bosco, nel fango, cioè dove si trovava il bestiame. La fatica era notevole e il guadagno scarso, inoltre c'era sempre il pericolo della malaria.

La vita era talmente dura e selettiva che solo i più forti resistevano, così la loro forza e bravura era leggendaria.

Il primo marzo del 1890 un certo Caetani, latifondista, andò a Roma a vedere lo spettacolo del circo di William Cody, più conosciuto come Buffalo Bill, che era diventato famoso nel Far West come grande cacciatore di bisonti e come esploratore.

Mentre assisteva allo spettacolo gli venne in mente di proporre una sfida tra i famosissimi cow-boys e i butteri: i cow-boys dovevano esibirsi in un rodeo con cavalli maremmani, i butteri con cavalli americani.

La competizione andò avanti per tre giorni, e ognuno seguì i propri metodi

---

Fama sinistra: fama cattiva, negativa.
Malaria: malattia tipica delle zone paludose, provocata dalla puntura della zanzara anofele.
Sella: tipo di sedile che si mette sulla schiena di un cavallo per cavalcarlo comodamente.
Ombroso: si spaventa facilmente (detto di un cavallo).
Bizzarro: comportamento strano, capriccioso, non comune.

tradizionali: tutti si comportarono egregiamente, ma, in mancanza di un criterio oggettivo di giudizio, non fu possibile stabilire il gruppo vincitore; di conseguenza la stampa italiana scrisse che i butteri avevano trionfato, e lo stesso fece la stampa americana con i cow-boys, così tutti tornarono a casa vincitori!

In questi ultimi decenni la realtà economica e sociale è molto migliorata anche nella Maremma, ma le tradizioni dei butteri sopravvivono in alcune aziende di proprietà dello Stato.

Se prima lo facevano per necessità, oggi i butteri, eliminato il problema della malaria, continuano a montare i loro cavalli e ad allevare i loro bovini per passione.

◆ **Questionario**

---

1) Dove vivono i butteri?
2) Che differenze c'è fra i butteri e cow-boys?
3) Perché la Maremma aveva una fama sinistra?
4) Chi organizzò la sfida tra butteri e cow-boys?
5) Come si svolse la sfida?
6) In che cosa è cambiata l'attività dei butteri oggi rispetto al passato?

◆ **Scelta multipla**

---

1) In Maremma l'età media era di venti anni
   a) a causa della malaria
   b) per la fame
   c) per la fatica

2) I cavalli maremmani sono
   a) bizzarri
   b) robusti
   c) tranquilli

3) I tori da corrida spagnoli sono
   a) più pesanti di quelli maremmani
   b) meno pesanti
   c) dello stesso peso

4) Oggi si fa il buttero per
   a) bisogno
   b) passione
   c) professione

◆ **Trovare delle espressioni che contengano le seguenti parole**

Toro, cavallo, vita, circo, bisonte.
(Es. bisonte: *i bisonti della strada...*)

◆ **Indicare se sono sinonimi o contrari**

		S	C
Meridionale	settentrionale	❏	❏
Diffuso	comune	❏	❏
Faticoso	agevole	❏	❏
Pregiato	eccezionale	❏	❏
Ombroso	permaloso	❏	❏
Bizzarro	capriccioso	❏	❏
Pericoloso	innocuo	❏	❏
Bravura	abilità	❏	❏
Bosco	foresta	❏	❏

◆ **Trovare per ogni nome delle qualificazioni adatte**

America, pianura, cavallo, vita, lavoro, uomo, pianura.
(Es. pianura: *malarica, bassa, malsana, paludosa, sterminata...*)

◆ **Formare una famiglia di parole**

Anno, cavallo, pericolo, dividere, spettacolo, provincia.
(Es. provincia: *provinciale, provincialismo...*)

Abbondante   abbondantemente
Diffuso
Faticoso
Tipico
Sicuro
Certo
Pericoloso
Distinto
Tradizionale
Continuo
Solo

◆ **Completare con le preposizioni**

Caetani propose questa sfida: i cow-boys dovevano esibirsi ... un rodeo ... cavalli maremmani, i butteri ... cavalli americani.

La competizione andò avanti ... tre giorni, e ognuno seguì i propri metodi tradizionali: tutti si comportarono egregiamente, ma, ... mancanza ... un criterio oggettivo ... giudizio, non fu possibile stabilire il gruppo vincitore; ... conseguenza la stampa italiana scrisse che i butteri avevano trionfato, e lo stesso fece la stampa americana ... i cow-boys, così tutti tornarono ... casa vincitori!

... questi ultimi decenni la realtà economica e sociale è molto migliorata anche ... maremma, ma le tradizioni ... butteri sopravvivono ... alcune aziende ... proprietà ... Stato.

◆ **Per la creatività e per la verifica**

• Completare delle frasi del testo con parole proprie
• Rimettere in ordine logico le parti, date in disordine, di una frase
• Rimettere in ordine logico le frasi, date in disordine, del testo
• Fare una sintesi orale e scritta del testo
• Raccontare vicende analoghe (in forma scritta e orale)
• Trovare musiche, canzoni, immagini relative al testo
• Fare una ricerca storica sull'argomento

Il calcio storico fiorentino

Il calcio storico fiorentino ha origine probabilmente dal gioco della palla che i Greci chiamavano "sphaira-makhìa" e che dai Romani era invece chiamato "haspàrtum", cioè rapimento, poichè per segnare un punto bisogna portar via la palla all'avversario.

Per i soldati romani era un passatempo, ma anche un allenamento, perché l'organizzazione del gioco e i movimenti degli atleti ricordavano lo schieramento dell'esercito in combattimento.

A Firenze è stato molto popolare per secoli; si giocava a carnevale e in occasione di grandi feste.

Durante il Medioevo i mercanti fiorentini lo fecero conoscere in vari paesi europei, fra i quali l'Inghilterra, dove fu molto apprezzato.

Gli inglesi ne riorganizzarono e modernizzarono le regole ponendo così le basi del calcio moderno.

La partita più importante nella storia del calcio fiorentino è stata quella giocata il 17 febbraio 1530 in piazza S. Croce mentre l'esercito dell'Imperatore spagnolo di Carlo V *assediava* la città.

Si giocò non soltanto per non interrompere la tradizione, ma anche in segno di sfida verso il nemico.

A partire dal sec.XVIII diminuisce l'interesse della città per questa manifestazione che perciò viene interrotta.

Riprende il suo regolare svolgimento nel 1930, quattrocento anni dopo l'assedio.

Le due squadre, che rappresentano due dei quattro quartieri in cui era anticamente divisa Firenze, hanno ventisette giocatori ciascuna detti calcianti.

Dopo il giuramento di fedeltà che i capitani delle squadre fanno davanti al Maestro di campo (l'arbitro), un colpo di *colubrina* da' inizio alla partita che dura circa un'ora.

È una competizione con caratteristiche che ricordano un pò il calcio, il rugby e la lotta; i giocatori, dotati di grande forza fisica e agilità, devono conquistare la palla e lanciarla nella porta avversaria per realizzare una caccia, cioè una rete, un gol.

La squadra vincitrice riceve in premio un vitello ed il *Palio*. Dopo la premiazione inizia il corteo storico al quale partecipano i rappresentanti dei quattro

---

Assediare: circondare una città con un esercito per conquistarla.
Colubrina: antica arma da fuoco usata nei sec. XV-XVII.
Palio: ibidem p. 19.

quartieri, che si distinguono per il colore della maglia: bianco per S. Spirito, azzurro per S.Croce, rosso per S. Maria Novella e verde per S. Giovanni.
Apre la sfilata la squadra vincitrice e la chiude quella sconfitta.
I vincitori festeggiano tradizionalmente la vittoria con bellissimi fuochi d'artificio sul Ponte Vecchio, una delle zone più affascinanti di Firenze.
Questo tipo di calcio sopravvive ormai solo come rievocazione importante per il suo aspetto storico, culturale e folkloristico, ma in passato affascinò molti personaggi importanti, tra cui Cosimo I Duca di Toscana e ben tre Papi originari di Firenze: Clemente VII, Leone X, Urbano VIII.

◆ **Questionario**

---

1) Perché il 17 febbraio 1530 è una data importante?
2) Nelle isole britanniche quando fu conosciuto il calcio?
3) Quali qualità devono avere gli atleti che giocano il calcio storico fiorentino?
4) In quanti quartieri era divisa Firenze?
5) Quali colori distinguono i quartieri della città?
6) Che cosa era la "sphaira-makhìa"?
7) Che rapporto c'è fra il calcio storico fiorentino e quello moderno?
8) Dove si gioca la partita di calcio storico fiorentino?

◆ **Scelta multipla**

---

1) Il calcio è stato inventato
   a) in Inghilterra
   b) in Grecia
   c) a Firenze

2) Il calcio fiorentino è
   a) diverso da quello moderno
   b) uguale a quello moderno
   c) simile a quello moderno

3) Il calcio fiorentino
   a) era apprezzato da Papi e Principi
   b) non era amato da Papi e Principi
   c) era ostacolato da Papi e Principi

4) La partita del 24 giugno vuole ricordarne una famosa giocata nel
   a) 1930
   b) 1530
   c) 1700

◆ **Indicare se sono sinonimi o contrari**

		S	C
Diverso	differente	❏	❏
Duro	morbido	❏	❏
Diffondere	divulgare	❏	❏
Agilità	scioltezza	❏	❏
Vincitore	perdente	❏	❏
Comunemente	generalmente	❏	❏
Avversario	alleato	❏	❏

◆ **Trovare per ogni nome delle qualificazioni adatte**

Regola, esercito, premio, colore, isola.
(Es. isola: *pedonale, linguistica, sperduta...*)

◆ **Formare una famiglia di parole**

Isola, calcio, affascinante, realtà, inventare.
(Es. inventare: *invenzione, inventore, inventario, inventiva...*)

◆ **Completare con le preposizioni**

   Il calcio storico fiorentino ha origine probabilmente ... gioco ... palla che i Greci chiamavano "sphaira-makhìa" e che ... Romani era invece chiamato "haspàrtum", cioè rapimento, poichè ... segnare un punto bisogna prima portar via la palla ... avversario.
   ... i soldati Romani era un passatempo, ma anche un allenamento, infatti l'organizzazione ... gioco e i movimenti ... atleti ricordavano lo schieramento ... esercito romano ... combattimento.
   ... Firenze è stato molto popolare ... secoli; si giocava ... carnevale e ... occasione ... grandi feste.
   Durante il Medioevo i mercanti fiorentini lo fecero conoscere ... vari paesi europei, ... i quali l'Inghilterra, dove fu molto apprezzato.

◆ **Per la creatività e per la verifica**

- Completare delle frasi del testo con parole proprie
- Rimettere in ordine logico le parti, date in disordine, di una frase
- Rimettere in ordine logico le frasi, date in disordine, del testo
- Fare una sintesi orale e scritta del testo
- Raccontare vicende analoghe (in forma scritta e orale)
- Trovare musiche, canzoni, immagini relative al testo
- Fare una ricerca storica sull'argomento

RICETTA TIPICA

PAPPA DI POMODORO ALLA LIVORNESE

dl.1 d'olio
un trito* con spicchi d'aglio e una manciata* di basilico
gr.500 di polpa di pomodoro tritata*

24 fettine di pane
sale
pepe

Fare soffriggere l'olio in un tegame, allinearvi* le fettine di pane e toglierle ben dorate* e sgocciolate*. Nell' olio di cottura aggiungere il trito d'aglio e basilico, mescolare e versare subito il pomodoro; condire con sale e pepe.
Cuocere a calore moderato per 10 minuti, rimettervi le fettine di pane, ricoprire abbondantemente d'acqua calda, fare insaporire e servire nelle fondine*.
Vino consigliato: Bianco di Montepulciano.

Trito: materiale fatto a piccoli pezzi.
Manciata: quanto si può prendere con una mano.
Tritare: ibidem p. 42.
Allineare: mettere una cosa vicino ad un'altra.
Dorato: di colore giallo come l'oro.
Sgocciolare: far uscire completamente un liquido (acqua, olio) da un contenitore o da un alimento.
Fondina: piatto fondo, per minestra o zuppa.

Umbria

Prende il nome dagli Umbri, antica popolazione presente in questa zona dell'Italia già mille anni a.C..

Nei secoli successivi molti altri popoli hanno lasciato testimonianze della loro civiltà: gli Etruschi, i Romani, i Longobardi, i Bizantini.

È chiamata il "cuore verde d'Italia", perché una grande parte del suo territorio è ricoperta di vegetazione.

È anche conosciuta come terra di grandi Santi: San Francesco, Santa Chiara, San Benedetto.

Perugia, capoluogo della regione, è una stupenda città con monumenti e musei che testimoniano il suo passato, ricco di arte e di cultura.

È sede di una delle più antiche Università italiane e, dal 1922, dell'Università Italiana per Stranieri, frequentata da studenti provenienti da ogni parte del mondo. Assisi, patria di San Francesco, Gubbio, Orvieto e Spoleto sono meta ogni anno di migliaia di visitatori.

La corsa dei ceri

La maggior parte degli italiani ricorda la città di Gubbio, a circa 40 chilometri da Perugia, per la "Corsa dei ceri" che il 15 maggio di ogni anno, ormai dal diciottesimo secolo, è un appuntamento immancabile per gli *eugubini* e per migliaia di turisti.

Ha origini molto antiche: probabilmente ebbe inizio il 15 maggio 1160 quando morì Sant'Ubaldo, vescovo di Gubbio.

Da quel giorno ogni anno venne organizzata una festa durante la quale si andava in processione per il paese tenendo in mano una candela accesa.

Per rendere più solenne la celebrazione, le più importanti corporazioni della città (commercianti, artigiani, muratori e contadini) offrivano tre ceri che venivano esposti in chiesa alla fine della festa.

Verso la fine del sec. XIV fa la sua apparizione la corsa dei ceri come la conosciamo oggi.

Il cero è formato da due *prismi* ottagonali di legno *cavi* che, sovrapposti, arrivano a 4 quattro metri di altezza, e pesano oltre quattrocento chili.

Sulla cima di ognuno c'è la statua di un Santo protettore: Sant'Ubaldo, patrono di Gubbio e dei muratori; San Giorgio dei commercianti e degli artigiani; Sant'Antonio dei contadini e degli studenti.

La mattina del 15 maggio i ceraioli, partendo dalla chiesa di san Francesco, sfilano in corteo per le vie della città con le statue dei tre Santi, indossando camicie del colore caratteristico di ogni gruppo: giallo per Sant'Ubaldo, azzurro per San Giorgio e nero per Sant'Antonio.

Solo da pochi anni fra i ceraioli sono state ammesse anche le donne, ma gli anziani ricordano con nostalgia quando era un ruolo riservato a uomini sposati che avessero fatto il servizio militare!

Al passaggio davanti alla chiesa di Santa Lucia ricevono ognuno un mazzo di fiori da ragazze in splendidi costumi tradizionali; proseguono poi fino al palazzo dei Consoli, antica sede del governo della città.

Alle sei del pomeriggio inizia finalmente la corsa che rispetta sempre lo stesso ordine di partenza: per primo il cero di Sant'Ubaldo, seguito da quello di San Giorgio, per finire con quello di Sant'Antonio.

Dalla piazza della Signoria, davanti al palazzo Ducale, bisogna salire il più

Eugubini: gli abitanti di Gubbio.
Prisma ottagonale: solido geometrico con otto facce.
Cavo: vuoto.

velocemente possibile fino alla basilica di Sant'Ubaldo, correndo a *perdifiato* per una ripida salita di un chilometro e mezzo; i ceri sono così pesanti che ogni 70 metri avviene la muta, il cambio: i dieci ceraioli che hanno iniziato la corsa, ormai stanchi morti, vengono sostituiti da altri ancora *freschi*, senza fermarsi.

I cambi (se ne possono effettuare fino a cinquanta) sono momenti molto difficili e pericolosi: il cero può cadere, determinando la sconfitta della squadra e, a volte, il ferimento di qualche spettatore lungo la strada.

Non vince, come invece avviene in tutte le gare, chi arriva primo; la vittoria viene assegnata valutando alcuni importanti elementi: bisogna effettuare i cambi perfettamente sincronizzati senza far cadere il cero; si deve distanziare il più possibile la squadra che segue o avvicinarsi a quella che precede; è determinante entrare nel convento di Sant'Ubaldo chiudendo il portone prima che arrivi la squadra inseguitrice...

Alla fine, come in ogni gara, c'è gioia per i vincitori e delusione per gli sconfitti, ma al tramonto, cantando, tutti insieme riportano le tre statue alla chiesa di San Francesco della Pace, perché è comune la soddisfazione di aver contribuito, ancora una volta, alla realizzazione di una festa unica al mondo.

◆ **Questionario**

---

1) Dove si trova Gubbio?
2) Come si chiamano gli abitanti di Gubbio?
3) Quali differenze ci sono fra l'antica e la moderna festa dei ceri?
4) Quante donne ci sono fra i ceraioli?
5) Perché i cambi sono pericolosi?
6) È una corsa particolare, diversa da tutte le altre: perché?
7) Quale è il percorso della gara?

A perdifiato: correre fino a consumare tutto il fiato.
Freschi: riposati.

1) La corsa dei ceri si svolge

    a) da molto tempo
    b) dal XVIII secolo
    c) da un secolo

2) S.Antonio è protettore

    a) degli studenti
    b) degli artigiani
    c) dei commercianti

3) La corsa termina alla chiesa di

    a) S. Antonio
    b) S. Ubaldo
    c) S. Lucia

4) I ceraioli che formano le squadre sono

    a) dieci
    b) settanta
    c) cinquanta

5) Il cambio di squadra può avvenire

    a) dieci volte
    b) cinquanta volte
    c) settanta volte

◆ **Trovare delle espressioni che contengano le seguenti parole:**

Festa, camicia, tramonto, statua, candela.
(Es. candela: *cenare al lume di candela; accendere una candela a un Santo; non valere la candela...*)

◆ **Formare una famiglia di parole**

Legno, pesare, studente, indossare, partenza, veloce, pesante, cantare, corsa.
(Es. corsa: *correre, corrente, corridore, corsivo...*)

		S	C
Sposato	coniugato	☐	☐
Velocemente	lentamente	☐	☐
Celibe	nubile	☐	☐
Sostituire	cambiare	☐	☐
Iniziare	terminare	☐	☐
Finire	incominciare	☐	☐
Indossare	portare	☐	☐
Togliere	mettere	☐	☐
Anziano	vecchio	☐	☐
Salita	discesa	☐	☐

◆ **Ad ogni aggettivo abbinare un verbo derivato**

Solenne   solennizzare
Giallo
Nero
Pesante
Stanco
Veloce

◆ **Completare con le preposizioni**

La mattina ... 15 maggio i ceraioli, partendo ... chiesa ... san Francesco, sfilano ... corteo ... le vie ... città ... le statue ... tre Santi, indossando camicie ... colore caratteristico ... ogni gruppo: giallo ... Sant'Ubaldo, azzurro ... San Giorgio e nero ... Sant'Antonio.

Solo ... pochi anni ... i ceraioli sono state ammesse anche le donne, ma gli anziani ricordano ... nostalgia quando era un ruolo riservato ... uomini sposati che avessero fatto il servizio militare!

... passaggio davanti ... chiesa ... Santa Lucia ricevono ognuno un mazzo ... fiori ... ragazze ... splendidi costumi tradizionali; proseguono poi fino ... palazzo ... Consoli, antica sede, ... governo ... città.

Protettore   proteggere
Trasformazione
Commerciante
Studente
Colore
Passaggio
Realizzazione
Governo
Soddisfazione
Partenza
Cambio
Corsa
Sconfitta
Ferimento
Vittoria
Gara
Festa

◆ **Per la creatività e per la verifica**

- Completare delle frasi del testo con parole proprie
- Rimettere in ordine logico le parti, date in disordine, di una frase
- Rimettere in ordine logico le frasi, date in disordine, del testo
- Fare una sintesi orale e scritta del testo
- Raccontare vicende analoghe (in forma scritta e orale)
- Trovare musiche, canzoni, immagini relative al testo
- Fare una ricerca storica sull'argomento

Il Calendimaggio

Assisi, pur essendo una piccola città, è famosa in tutto il mondo come patria di San Francesco; ma ad attirare numerosi turisti ogni anno è anche la sua secolare storia ricca di arte, cultura, folklore e tradizioni, sia laiche sia religiose, ancora oggi vissute con emozione dagli assisani.

La più importante di queste è sicuramente il Calendimaggio, antichissima festa popolare con cui si celebra il ritorno della primavera, cioè il risveglio della natura che trasmette nuova voglia di vivere anche alle persone.

Si narra che anche San Francesco fu un eccellente animatore di queste giornate di festa.

Il Calendimaggio dura tre giorni, dal giovedì al sabato della prima settimana di maggio, e vi partecipa tutta la popolazione con lo stesso spirito di rivalità di quando la città era divisa in due parti: Assisi "di sopra" ed Assisi "di sotto".

Il 30 aprile c'è il Cantamaggio, una anticipazione della festa: gruppi musicali girano per le case della campagna eseguendo canzoni popolari sacre e profane, accompagnate dalla fisarmonica; come premio per le loro esibizioni ricevono prodotti tipici contadini (salumi, uova, olio, vino, formaggio) che consumeranno in un grande banchetto aperto a tutti.

Il giovedì successivo inizia la festa vera e propria con la benedizione dei *Vessilli*, nella chiesa di San Rufino per la parte di sopra e nella basilica di San Francesco per la parte di sotto; segue la prima sfida fra le due zone della città, che prevede la rappresentazione di scene di vita medievale. Le vie di Assisi perdono ogni segno di modernità: scompaiono le automobili e l'illuminazione elettrica viene sostituita da fiaccole; gli angoli più suggestivi della città si trasformano in palcoscenici per bravissimi attori ed attrici che fanno magicamente rivivere alcuni momenti di un lontanissimo passato.

Tutto ricorda il tempo che fu: il linguaggio, gli argomenti di conversazione, l'abbigliamento, il cibo...

Il venerdì è dedicato a tre antichi giochi: *il tiro alla fune, il tiro con la balestra e la corsa delle tregge.*

I concorrenti si sfidano con lealtà, sostenuti dal rumoroso *incitamento* di amici e turisti: è uno dei momenti più esaltanti della festa.

Chi vince ha il diritto di eleggere "Madonna della Primavera", la ragazza-

---

Vessillo: bandiera, insegna, stendardo.
Tiro alla fune: gara tra due gruppi di persone che tirano una lunga corda in direzioni opposte.
Balestra: antica macchina militare usata per lanciare frecce contro il nemico.
Treggia: carro rustico senza ruote, trainato da buoi.
Incitamento: incoraggiamento continuo.

simbolo del Calendimaggio, scegliendo fra le ragazze che compongono la propria squadra.

La giornata si conclude nelle caratteristiche taverne, dove si mangia, si canta e si beve in allegria per tutta la notte.

Il giorno successivo, nonostante la stanchezza e gli eccessi gastronomici, le due squadre sono pronte ad affrontarsi in piazza, in una doppia sfida che avviene il pomeriggio e la sera: il primo impegno è una sfilata a cui partecipano circa mille persone, durante la quale vengono lette antiche e commoventi storie d'amore, racconti di guerre e di avvenimenti legati all'attività agricola, *sarcasmi* e battute *salaci* rivolte agli avversari!

La sera si svolge una gara di canto fra i cori delle due Parti.

Ogni coro ha la possibilità di eseguire due brani che siano stati composti fra il 1200 ed il 1600; un altro brano, che entrambi i cori devono cantare, è invece scelto da una *giurìa* formata da tre esperti musicali di fama nazionale che assegnano anche la vittoria.

È facile immaginare la gioia della Parte vincitrice, ma c'è soddisfazione in tutti i partecipanti, poiché il Calendimaggio è una festa di tutti e per tutti.

◆ **Questionario**

---

1) Come si chiamano gli abitanti di Assisi?
2) Per quale motivo Assisi è conosciuta in tutto il mondo?
3) Che differenza c'è fra il Cantamaggio e il Calendimaggio?
4) Quale è il significato del Calendimaggio?
5) Quanti sono i brani da eseguire?
6) Quale caratteristica devono avere i brani musicali?

Sarcasmo: ironia forte, pungente.
Battuta salace: parola o frase pungente, a volte offensiva.
Giurìa: gruppo di persone che valutano e premiano i partecipanti a gare o a concorsi.

◆ Scelta multipla

1) Il Cantamaggio si festeggia

   a) il 30 aprile
   b) il primo giovedì di maggio
   c) i primi giorni di maggio

2) Il Calendimaggio

   a) nasce ai tempi di San Francesco
   b) ha origini medievali
   c) ha origini ignote

3) San Francesco

   a) non amava il Calendimaggio
   b) partecipava al Calendimaggio
   c) organizzò il primo Calendimaggio

4) Ogni coro esegue

   a) tre brani
   b) due brani
   c) alcuni brani

◆ Indicare se sono sinonimi o contrari

		S	C
Rumoroso	silenzioso	❑	❑
Rinviare	posticipare	❑	❑
Allegrìa	gioia	❑	❑
Eccellente	scadente	❑	❑
Successivo	seguente	❑	❑
Respingere	accogliere	❑	❑
Concludere	finire	❑	❑
Lealtà	slealtà	❑	❑
Dividere	unire	❑	❑
Ritorno	arrivo	❑	❑
Scomparire	sparire	❑	❑

◆ Formare una famiglia di parole

Vivere, prodotto, vincere, comporre, sfida, sera.
(Es. sera: *serataccia, serale, serata...*)

Il Calendimaggio dura tre giorni, ... giovedì ... sabato ... prima settimana ... maggio, e vi partecipa tutta la popolazione ... lo stesso spirito ... rivalità ... quando la città era divisa ... due parti: "Assisi ... sopra" ed "Assisi ... sotto".

Il 30 aprile c'è il Cantamaggio, una anticipazione ... festa: gruppi musicali girano ... le case ... campagna eseguendo canzoni popolari sacre e profane, accompagnate ... fisarmonica; come premio ... le loro esibizioni ricevono prodotti tipici contadini (salumi, uova, olio, vino, formaggio) che consumeranno ... un grande banchetto aperto ... tutti.

◆ **Per la creatività e per la verifica**

- Completare delle frasi del testo con parole proprie
- Rimettere in ordine logico le parti, date in disordine, di una frase
- Rimettere in ordine logico le frasi, date in disordine, del testo
- Fare una sintesi orale e scritta del testo
- Raccontare vicende analoghe (in forma scritta e orale)
- Trovare musiche, canzoni, immagini relative al testo
- Fare una ricerca storica sull'argomento

RICETTA TIPICA

CIARAMICOLA
(dosi per sei persone)

hg. 3,5 di farina
hg. 1,7 di zucchero
gr. 30 di confettini*
gr. 8 di lievito di birra
3 uova
1 limone
1 noce di burro
mezza bustina di vaniglia
alchermes-mistrà
un pizzico di sale

Sciogliere il lievito in poca acqua tiepida fino a formare un impasto molle, poi aggiungere gr. 80 di farina e mescolare. Mettere l'impasto in una terrina* infarinata, coprire con un panno e lasciare lievitare per circa 20 minuti.

Versare sulla spianatoia* la rimanente farina, formare una fontana al centro e mettervi dentro l'impasto lievitato a pezzi, 1 etto di zucchero, la vaniglia, la buccia del limone grattugiata, un uovo intero ed un pizzico di sale. Incominciare ad impastare, aggiungendo anche i due liquori mescolati, in quantità sufficiente ad ottenere un impasto abbastanza morbido di un delicato colore rosa.

Raccogliere la pasta formando una palla, metterla in una terrina infarinata, coprirla con un panno e lasciarla lievitare per un'ora. Spalmare di burro e infarinare leggermente una tortiera, versarvi l'impasto e appiattirlo con un cucchiaio bagnato in acqua calda.

Cuocere in forno medio per circa 40 minuti.

Montare a neve gli albumi (bianco dell'uovo) e mescolare con lo zucchero rimasto.

Quando il dolce è cotto, sfornarlo, lasciar freddare un pò il forno, versare sulla torta gli albumi prima preparati e rimettere in forno, tiepido, per farli asciugare. Decorare la torta con i confettini* e servire.

Vino consigliato: Vino santo o Vernaccia di Cannara.

Terrina: ibidem p. 83.
Spianatoia: asse, tavola di legno usato in cucina per stendere la pasta.
Confettino: piccolo dolce di zucchero cotto e frutta secca.

Breve storia della Ciaramicola

Questo dolce, dal caratteristico colore rosa che indica il risveglio della primavera, ha un'origine molto antica.

Come tutti i dolci umbri di forma rotonda (i più famosi sono la rocciata, il torcolo o ciambellone, il serpentone di mandorle), potrebbe essere stato parte di riti propiziatori pagani; nell'antichità, infatti, i dolci erano un cibo riservato agli Dei, offerti loro in sacrificio sotto varie forme, e per i dolci umbri la forma più tipica era proprio quella del serpente.

Con l'avvento del Cristianesimo la forma è diventata più tondeggiante*, forse a ricordare i rosoni* delle chiese. La Ciaramicola racchiude molti simboli cristiani: la croce di pasta al centro, comparsa verso il 1600, è il simbolo della vittoria di Cristo sul paganesimo; il colore rossastro ricorda la passione di Cristo; la copertura bianca, infine, ne rievoca la Resurrezione. In passato, per Pasqua, le fidanzate regalavano alle suocere uno di questi dolci, decorato con la sagoma* di una piccola colomba con un ramo d'ulivo nel becco*, come segno di pace.

Tondeggiante: di forma quasi rotonda.
Rosone: grande finestra a forma di cerchio posta sopra la parte centrale delle chiese romaniche e gotiche.
Sagoma: riproduzione, immagine stilizzata di persona o animale.
Becco: la parte esterna della bocca degli uccelli.

Marche

La regione ha questo nome perchè ai tempi dell'Impero Carolingio (sec. VIII-IX) era divisa in tre zone o marche: la Marca di Ancona, la Marca di Camerino e la Marca di Fermo.

È ricca di tradizioni culturali (l'Università di Camerino è stata fondata nel 1727) e di artigianato ad alto livello: a Castelfidardo si fabbricano fisarmoniche da oltre due secoli; le cartiere di Fabriano producono molti tipi di carta, fra cui la carta-moneta fin dal sec. XIII; nelle zone di Civitanova e Sant'Elpidio si producono pregiate calzature rifinite a mano.

A nord, nella zona di Acqualagna, cresce il *tartufo* bianco.

Tartufo: ibidem p. 28.

La *contesa* del *secchio* a Sant'Elpidio

Sant'Elpidio è un'accogliente cittadina sul mare, in provincia di Ascoli Piceno, nota fin dal 1300 per la produzione di calzature: le scarpe disegnate dagli artigiani elpidiesi sono esposte nei migliori negozi di tutto il mondo, inoltre arrivano a Sant'Elpidio giovani da ogni parte per imparare l'arte di realizzare scarpe di eccellente qualità.

Come molte altre antiche località italiane, è ricca di tradizioni, leggende e feste popolari: ad esempio gli ultimi quattro giorni di luglio, insieme al sabato e alla domenica della seconda settimana di agosto, sono dedicati a sfilate in costume, a giochi medievali e alla rievocazione di un fatto avvenuto secoli fa, ma ancora vivo nel ricordo degli *elpidiesi*: la contesa del secchio.

Si racconta che nella piazza davanti al castello, dove abitava il *Priore* con la famiglia, i servi ed i soldati, c'era un *pozzo* profondo con acqua limpida e freschissima che le donne andavano a prendere con *brocche* e secchi per l'uso quotidiano; erano sempre in gran numero, e spesso litigavano per avere la precedenza nell'*attingere* dal *pozzo*; con le loro grida disturbavano gli abitanti del castello.

Per risolvere questo problema, il Priore istituì un gioco in modo da stabilire l'ordine di precedenza: le donne dovevano lanciare una palla, di *cuoio* o di stracci, in un secchio posto ad alcuni metri di distanza; le più brave, o le più fortunate, prendevano l'acqua per prime, mentre le altre dovevano attendere senza protestare.

Ogni anno gli elpidiesi amano far rivivere quell'episodio: partecipano alla gara quattro squadre, una per ognuna delle contrade in cui è divisa la città, formate da sei giocatori ciascuna.

Al centro della grande piazza del castello, sopra al vecchio pozzo oggi non più usato, viene sistemato un secchio in cui ogni giocatore deve far cadere il pallone.

Il punto dal quale si lancia è indicato da un largo cerchio bianco disegnato

Contesa: lotta, scontro, gara, competizione.
Secchio: recipiente a forma cilindrica o semiconica, in alluminio o in plastica.
Elpidiesi: abitanti di Sant'Elpidio.
Priore: signore, governatore della città.
Pozzo: scavo più o meno prefondo, di forma circolare, eseguito nel terreno per portare acqua in superficie.
Brocca: recipiente di terracotta, vetro o metallo usato per contenere acqua o altri liquidi.
Attingere: prendere, tirare su l'acqua da un pozzo.
Cuoio: pelle di animale trattata chimicamente.

a terra che non si può assolutamente oltrepassare con i piedi se non si vuole perdere un punto.

Il lancio non è veramente impegnativo, ma diventa difficile perchè i componenti delle squadre avversarie disturbano il giocatore per farlo sbagliare: gli girano attorno gridando, lo prendono in giro.

La gara somiglia a certi giochi moderni, come la pallamano e la pallacanestro.

Vince, naturalmente, la squadra che mette il maggior numero di palloni nel secchio; come premio per la vittoria tiene in custodia per un anno il secchio della contesa, *suscitando* l'invidia delle altre squadre.

In questi giorni di festa a Sant'Elpidio c'è un'atmosfera strana: camminando per le vie del centro storico si ha l'impressione di essere tornati indietro di alcuni secoli, perchè oltre ad essere scomparsa ogni traccia di modernità è facile incontrare persone in abiti medievali che parlano un linguaggio antico, diverso dall'italiano di oggi; nelle taverne si possono gustare piatti tipici, preparati da esperti cuochi con gli stessi ingredienti che avrebbero utilizzato i loro colleghi di qualche secolo fa.

Sono rievocazioni che la gente ama molto, poichè permettono di mantenere vivo il ricordo del proprio passato; testimone di questo sentimento è il lavoro che impegna migliaia di persone che lavorano volontariamente per preparare una festa ogni anno più bella.

◆ **Questionario**

1) In quale zona d'Italia si trova Sant'Elpidio?
2) Perché questa cittadina è famosa?
3) Perché le donne litigavano?
4) In quale periodo si svolge la contesa del Secchio?
5) Quale premio riceve la squadra che vince?
6) Perché gli Elpidiesi amano molto questa festa?
7) Perché nei giorni di festa c'è un'atmosfrea strana?

Suscitare: provocare, far nascere.

	V	F
1) Gli abitanti di Sant'Elpidio si chiamano elpidiani.	❑	❑
2) Alla contesa del Secchio partecipano quattro squadre.	❑	❑
3) La gara è simile alla pallacanestro.	❑	❑
4) La città è divisa in sei contrade.	❑	❑
5) A Sant'Elpidio si producono scarpe da circa duecento anni.	❑	❑
6) Mentre uno lancia la palla, gli altri stanno in silenzio.	❑	❑
7) Quelli che partecipano alla gara indossano costumi medievali.	❑	❑

◆ **Trovare delle espressioni che contengano le seguenti parole:**

Scarpa, pozzo, castello, palla, fresco, straccio.
(Es. straccio: *ridursi a uno straccio; sentirsi uno straccio; non avere neppure uno straccio di vestito, di casa...*)

◆ **Indicare se sono sinonimi o contrari**

		S	C
Contesa	gara	❑	❑
Distante	vicino	❑	❑
Fresco	tiepido	❑	❑
Attingere	prendere	❑	❑
Protestare	reclamare	❑	❑
Oltrepassare	superare	❑	❑
Suscitare	provocare	❑	❑
Limpido	torbido	❑	❑

◆ **Trovare per ogni nome delle qualificazioni adatte**

Scarpa, negozio, castello, numero, palla, pozzo.
(Es. pozzo: *artesiano, nero, petrolifero...*)

◆ **Formare una famiglia di parole**

Scarpa, numero, straccio, pozzo, punto, moderno.
(Es. moderno: *modernizzare, modernità, modernamente, modenismo, postmoderno...*)

◆ **Completare con le preposizioni**

Sant'Elpidio è un'accogliente cittadina ... mare, ... provincia ... Ascoli Piceno, nota fin ... 1300 ... la produzione ... calzature: le scarpe disegnate e realizzate ... artigiani elpidiesi sono esposte ... migliori negozi ... tutto il mondo, inoltre arrivano ... Sant'Elpidio giovani ... ogni parte ... imparare l'arte ... realizzare scarpe ... alta classe.
Come molte altre antiche località italiane, è ricca ... tradizioni, leggende e feste popolari: ... esempio gli ultimi quattro giorni ... luglio, insieme ... sabato e ... domenica ... seconda settimana ... agosto, sono dedicati ... sfilate ... costume, ... giochi medievali e ... rievocazione ... un fatto avvenuto secoli fa, ma ancora vivo ... ricordo ... elpidiesi: la contesa ... secchio.

◆ **Per la creatività e per la verifica**

• Completare delle frasi del testo con parole proprie
• Rimettere in ordine logico le parti, date in disordine, di una frase
• Rimettere in ordine logico le frasi, date in disordine, del testo
• Fare una sintesi orale e scritta del testo
• Raccontare vicende analoghe (in forma scritta e orale)
• Trovare musiche, canzoni, immagini relative al testo
• Fare una ricerca storica sull'argomento

La Quintana di Ascoli

La città di Ascoli ha origini antichissime: il nome completo, Ascoli Piceno, ricorda che era anticamente capitale dei Piceni, una popolazione sottomessa dai Romani più di duemila anni fa.

La Quintana è la rievocazione storica più caratteristica della città, ma l'origine del nome non è certa: probabilmente deriva dal latino "quintus", zona dell'accampamento militare degli antichi Romani riservata alle esercitazioni.

Esiste sicuramente dal 1378, anno in cui negli *statuti del popolo* se ne stabiliscono le regole; è un torneo, cioè una gara di abilità tra sei cavalieri, ognuno dei quali rappresenta una delle parti, dette sestieri, in cui era divisa la città: Piazzarola, Porta Maggiore, Porta Romana, Porta Solestà, Porta Tufilla, Sant'Emidio. I cavalieri non combattono fra di loro ma, uno alla volta, contro il Saracino, cioè il *fantoccio* di un guerriero musulmano: la rievocazione ricorda l'epoca delle Crociate (sec. XI-XIII), cioè le guerre che i popoli europei, soprattutto italiani, inglesi e francesi, combatterono per liberare il Santo Sepolcro e Gerusalemme dalla dominazione musulmana.

La Quintana si svolge la prima domenica di agosto; inizia con un *suggestivo* corteo storico in costume, nel quale vengono rappresentati fedelmente i vari personaggi che popolavano una tipica città del Quattrocento.

Li accompagnano dei musici che suonano strumenti autentici del sec. XV; infatti appartengono ad alcune famiglie che li conservano con molta cura e li prestano ogni anno agli organizzatori della Quintana. Nel frattempo dei bravissimi sbandieratori lanciano al cielo bandiere con movimenti sincronizzati.

Il corteo è guidato dal Sindaco della città, che per un giorno riprende l'antico nome di Magnifico Messere.

Ogni Sestiere è preceduto da un Console e da una Dama, la "Signora del Sestiere", scelta ogni anno tra le più belle ragazze che abitano quella zona della città; segue il Cavalier Giostrante che combatterà contro il Saracino.

I sei cavalieri giostranti si preparano a lungo per ben figurare in questa gara. In passato i vincitori diventavano eroi popolari, ricchi, famosi e rispettati.

I figli delle famiglie nobili sognavano di diventare abili cavalieri per esibirsi nei tornei che si organizzavano in numerose città.

Il torneo si svolge nel "Campo dei Giochi": ogni cavaliere, armato di una

Statuti del popolo: leggi della città.
Fantoccio: manichino, pupazzo a imitazione della figura umana fatto con legno, cenci...
Suggestivo: affascinante, incantevole.

pesante *lancia*, deve galoppare verso la statua del Saracino, montata su un meccanismo girevole al centro della piazza, e colpire con forza lo scudo sistemato sul braccio sinistro della statua; naturalmente non deve farsi colpire dalla palla di metallo legata ad una catena che arma il braccio destro del fantoccio, ed evitare di cadere da cavallo!

Questa difficile operazione deve essere eseguita senza uscire da un percorso a forma di *8* ben delimitato, e nel minor tempo possibile.

Al termine del torneo riprende il corteo storico che termina con l'ingresso in piazza del Sestiere che ha ottenuto la vittoria.

◆ **Questionario**

---

1) Che tipo di rappresentazione è la Quintana?
2) Da dove deriva il nome?
3) Che cosa sono gli "Statuti del popolo"?
4) Quando si esibiscono gli sbandieratori?
5) Chi è il Magnifico Messere?
6) Che cosa sono i Sestieri?

◆ **Trovare delle espressioni che contengano le seguenti parole:**

Scudo, sinistro, cavallo, braccio, bandiera, catena.
(Es. catena: *catene da neve; avere la catena al collo; essere in catene; spezzare le catene; catena di montagne; catena di montaggio; catena di S. Antonio; catena di negozi...*)

Lancia: arma formata da una lunga asta di legno con un ferro a punta sulla cima.

◆ Scelta multipla

1) La Quintana è
   a) un rodeo
   b) un torneo
   c) una corsa

2) Ascoli è una città di origine
   a) romana
   b) preromana
   c) medievale

3) Le Crociate si combatterono fra
   a) inglesi e francesi
   b) italiani e inglesi
   c) cristiani e musulmani

4) Nei secoli passati i cavalieri erano di famiglia
   a) nobile
   b) borghese
   c) proletaria

5) In questa gara è molto importante
   a) la velocità
   b) la forza
   c) la pazienza

◆ Indicare se sono sinonimi o contrari

		S	C
Completo	incompleto	❏	❏
Sicuro	certo	❏	❏
Guerriero	soldato	❏	❏
Certo	incerto	❏	❏
Regola	norma	❏	❏
Epoca	periodo	❏	❏
Tipico	caratteristico	❏	❏
Autentico	falso	❏	❏

◆ Formulare una famiglia di parole

Nome, bandiera, frutto, combattere, centro, meccanismo, forza, braccio.
(Es. braccio: *abbracciare, bracciolo, braccetto, sbracciarsi...*)

◆ **Formare il plurale**

Il braccio   le braccia
La città
La capitale
L'accampamento
Lo strumento
L'occasione
L'esercitazione
L'eroe

◆ **Completare con le preposizioni**

I cavalieri non combattono … di loro, ma, uno … volta, contro il "Saracino", cioè il fantoccio … un guerriero musulmano: la rievocazione ricorda l'epoca … Crociate (sec. XI-XIII), cioè le guerre che i popoli europei, soprattutto italiani, inglesi e francesi, combatterono … liberare il Santo Sepolcro e Gerusalemme … dominazione musulmana.

La Quintana si svolge la prima domenica … agosto; inizia … un suggestivo corteo storico … costume, … quale vengono rappresentati fedelmente i vari personaggi che popolavano una tipica città … Quattrocento.

I musici li accompagnano, suonando strumenti autentici; lo sono anche le armi e l'abbigliamento militare … figuranti; infatti … questa particolare occasione alcune famiglie, che li conservano gelosamente … secoli, li mettono … disposizione … città.

… frattempo gli sbandieratori lanciano … cielo bandiere … movimenti sincronizzati, frutto … lunghe e faticose esercitazioni.

◆ **Per la creatività e per la verifica**

• Completare delle frasi del testo con parole proprie
• Rimettere in ordine logico le parti, date in disordine, di una frase
• Rimettere in ordine logico le frasi, date in disordine, del testo
• Fare una sintesi orale e scritta del testo
• Raccontare vicende analoghe (in forma scritta e orale)
• Trovare musiche, canzoni, immagini relative al testo
• Fare una ricerca storica sull'argomento

RICETTA TIPICA

ZUPPA DI FAGIOLI ALL'ANCONETANA

gr.750 di fagioli bianchi
dl.1 d'olio
un trito* composto di 2 spicchi d'aglio, un cuore di sedano piccolo e un pò di prezzemolo
un pezzo di peperoncino
crostini di pane fritti nell'olio
sale
pepe

RICETTA TIPICA

PISELLATA ALLA MACERATESE

gr. 700 di piselli
un trito* di pancetta di maiale, mezza cipolla, 1 spicchio d'aglio, qualche rametto di prezzemolo e maggiorana
gr.200 di polpa di pomodoro
fettine di pane tostate al forno
sale
pepe

Mettere in una pentola il trito* di pancetta, cipolla, aglio, prezzemolo e maggiorana, la polpa di pomodoro, 2 litri e mezzo d'acqua e condire con sale e pepe. Far bollire, aggiungere i piselli e farli cuocere a fuoco lento per circa 20 minuti. Servire ben caldo con le fettine di pane.
Vino consigliato: Verdicchio.

Mettere in una grande pentola di terracotta i fagioli tenuti per sette, otto ore in acqua, con l'olio, il trito di aglio, sedano, prezzemolo e il peperoncino; ricoprirli abbondantemente con acqua fredda e condirli con una manciata* di sale grosso e con un pizzico* di pepe.
Far bollire e continuare la cottura a calore medio fino a che i fagioli siano ben cotti. Disporre sul fondo dei piatti i crostini di pane, versarvi sopra la zuppa ben mescolata e servire.
Vino consigliato: Rosso del Conero.

Trito: ibidem p. 115.
Manciata: quanto si può prendere con una mano.
Pizzico: piccola quantità di sale, pepe e zucchero che si può prendere fra la punta di due dita.

Lazio ———————————————————

È stato abitato fin da tempi antichissimi per il clima mite, per la presenza del mare e di un fiume navigabile: il Tevere.

In questo territorio vasto e spazioso (il vocabolo latino "latus", da cui prende il nome la regione, vuol dire ampio, largo), adatto all'attività agricola e pastorale, si sono sviluppate le civiltà etrusca e romana.

Roma, capoluogo della regione, è una città unica al mondo.

Le sue origini sono antichissime: si narra che fu fondata da Romolo nel 753 a.C.; fu la capitale del grande Impero Romano; è il centro del mondo cattolico; dal 1870 è la capitale d'Italia.

In nessun'altra città è presente una così grande quantità di opere d'arte e di testimonianze del passato.

Un celebre detto ne sottolinea l'importanza: "tutte le strade portano a Roma".

La festa dell'uva

Ottobre, in Italia, è il mese della *vendemmia*, cioè il mese dell'uva e del vino; ed il vino è sinonimo di allegria, di festa, soprattutto se è buono e se ce n'è in abbondanza.

Ogni regione italiana è orgogliosa dei propri vini, e nel Lazio ce ne sono bianchi e rossi di eccellente qualità; poeti, scrittori e musicisti di ogni epoca li hanno immortalati nelle loro opere.

Gioacchino Belli (1791-1863), il più importante poeta dialettale romano, racconta che già ai suoi tempi molti si trasferivano da Roma nei paesi vicini per trascorrere gli ultimi giorni dell'estate attirati dal profumo inconfondibile e dal piacevolissimo gusto dell'uva matura.

Marino, una cittadina a pochi chilometri a sud della capitale, ogni prima domenica di ottobre dedica all'uva ed al vino una festa veramente originale.

La mattina si svolgono cerimonie religiose in onore della Madonna del Rosario; i viticultori le offrono un cesto di uva ed una coppa di vino per ottenere la grazia di una buona vendemmia.

Nel pomeriggio, invece, c'è il corteo in *costume* del sec. XVI per ricordare il principe e condottiero Marcantonio Colonna, signore di Marino, il quale comandava la flotta che il 7 ottobre 1571 nella battaglia di *Lépanto* vinse contro i Turchi.

Con lui partirono in cerca di gloria e di avventura duecentosessanta giovani di Marino.

Si racconta che uno di loro riportò in patria, dall'isola di Creta, un *vitigno* di *malvasìa*, che trovò clima e terreno ideale nella zona di Marino; da allora si producono ottimi vini, soprattutto bianchi.

Durante la sagra dell'uva le strade sono incredibilmente affollate da visitatori provenienti da tutta Europa.

Come una volta, è possibile andare nelle cantine, e *spillare* il vino dalle *botti*; il suo profumo si diffonde nell'aria e si mescola all'odore dell'arrosto, della *porchetta* e dei dolci.

Vendemmia: raccolta dell'uva.
Costume: ibidem p. 98.
Lepanto: città della Grecia.
Vitigno: varietà coltivata di vite.
Malvasìa: vitigno che produce uve soprattutto bianche.
Spillare: far uscire il vino dalla botte.
Botte: recipiente di legno o di vetroresina adatto a contenere il vino.
Porchetta: maiale cotto intero al forno, con ripieno di erbe aromatiche e droghe.

In piazza la gente, mentre gusta le specialità della cucina locale e il vino novello, può ascoltare concerti di musica e canti popolari o poesie in dialetto. Ma la principale attrazione della festa è il "miracolo del vino", che tutti attendono con emozione ed entusiasmo: ad un certo punto, dalle cannelle della fontana più importante di Marino invece della solita acqua esce "miracolosamente del vino"; è uno spettacolo incredibile, straordinario; per tutta la durata della sagra è, probabilmente, la fontana più frequentata del mondo! Il vino che ne esce è identico a quello che si può bere nelle cantine o nelle numerose taverne, ma riempire il bicchiere alla fontana "miracolosa" è un gesto a cui nessuno vuole rinunciare, perchè è considerato simbolo di prosperità e di fortuna.

◆ **Questionario**

1) Dove si trova la città di Marino?
2) Chi è Gioacchino Belli?
3) Chi è Marcantonio Colonna?
4) Da dove proviene il vitigno di malvasìa?
5) In quale mese avviene la vendemmia?
6) In che cosa consiste il "miracolo del vino"?

◆ **Scelta multipla**

1) la regione del Lazio produce
   a) vini bianchi
   b) vini rossi
   c) vini bianchi e rossi

2) Marino si trova a
   a) pochi chilometri ad ovest di Roma
   b) pochi chilometri a sud di Roma
   c) nord di Roma

3) Il vitigno della malvasia è originario di
   a) Lepanto
   b) Marino
   c) Creta

4) Durante la sagra dell'uva
   a) si rimettono in funzione le vecchie cantine
   b) si chiudono le vecchie cantine
   c) si aprono nuove cantine

		S	C
Abbondanza	carestia	☐	☐
Orgoglioso	superbo	☐	☐
Eccellente	scadente	☐	☐
Maturo	acerbo	☐	☐
Epoca	periodo	☐	☐
Condottiero	comandante	☐	☐
Spillare	prelevare	☐	☐
Profumo	fragranza	☐	☐
Mescolare	rimestare	☐	☐
Identico	diverso	☐	☐

◆ **Trovare per ogni nome delle qualificazioni adatte**

Uva, festa, strada, vino, giorno.
(Es. giorno: *festivo, feriale, triste, lieto...*)

◆ **Formare una famiglia di parole**

Scrittore, profumo, canto, acqua, festa.
(Es. festa: *festeggiare, festoso, festante, festivo, festività, festeggiato...*)

◆ **Trovare dei nomi riferibili ai seguenti aggettivi:**

Eccellente, inconfondibile, piacevole, originale, affollato, straordinario, maturo/a.
(Es. maturo/a: *frutto, età, uomo, donna, tempo...*)

Ma la principale attrazione ... festa è il "miracolo ... vino", che tutti attendono ... emozione ed entusiasmo: ... un certo punto, ... cannelle ... centrale fontana ... Mori non esce più acqua ed ... suo posto scorre "miracolosamente" ... vino; è uno spettacolo incredibile, straordinario; ... tutta la durata ... sagra è, probabilmente, la fontana più frequentata ... mondo!

Il vino che ne esce è identico ... quello che si può bere ... cantine o ... numerose taverne, ma poter riempire il bicchiere ... fontana "miracolosa" è un gesto ... cui nessuno vuole rinunciare, perchè è considerato simbolo ... prosperità e ... fortuna.

◆ **Per la creatività e per la verifica**

· Completare delle frasi del testo con parole proprie
· Rimettere in ordine logico le parti, date in disordine, di una frase
· Rimettere in ordine logico le frasi, date in disordine, del testo
· Fare una sintesi orale e scritta del testo
· Raccontare vicende analoghe (in forma scritta e orale)
· Trovare musiche, canzoni, immagini relative al testo
· Fare una ricerca storica sull'argomento

NANNI' ('NA GITA A LI CASTELLI)
di Ettore Petrolini*

Guarda che sole è sortito Nannì,
che profumo de rose, de garofoli e pansè.

Com'è tutto un paradiso li castelli sò accosì.

Guarda Frascati ch'è tutta un sorriso,
'na delizia d'amore, 'na bellezza da incantà.

Lo vedi ecco Marino
la sagra c'è dell'uva,
fontane che danno vino:
quant'abbondanza c'è.
Appresso viè Genzano
cor pittoresco Arbano.
Su viette a divertì,
Nannì, Nannì.

La' c'è l'Ariccia, più ggiù c'è Castello
che è davvero un gioiello cò quel lago da
incantà.
E de fravole un profumo solo a
Nemi poi sentì.
Sotto quel lago un mistero ce stà:
de Tibberio le navi sò l'antica civiltà.

Sò meglio de la sciampagna
li vin de 'ste vigne,
che fanno la cuccagna
dar tempo de Noè.

Li prati a tutto spiano
sò tutt'a vigne e grano.
S' annamo a mette llì,
Nannì, Nannì.

è sera e già le stelle
te fanno un manto d'oro,
e le velletranelle
se mettono a cantà.
Se sente uno stornello,
risponde un ritornello.
Che coro! Viè a sentì!
Nannì, Nannì.

RICETTA TIPICA

ABBACCHIO (agnello) ALLA CACCIATORA

kg. 1 di cosciotto e spalla di abbacchio tagliato a pezzi
3 cucchiai di olio
dl. 1 di aceto
3 spicchi d'aglio
3 filetti di acciuga dissalati*
un ciuffo* di rosmarino fresco
poca farina
sale e pepe

Schiacciare l'aglio con i filetti* di acciuga; quando sono ridotti in poltiglia diluirli* con l'aceto. Mettere in una padella l'olio ed il rosmarino; appena l'olio è molto caldo togliere il rosmarino e mettervi i pezzi di abbacchio infarinati, farli rosolare* dalle due parti, metterli in un piatto e condirli con sale e pepe.
Versare poi nella padella l'aglio e le acciughe diluite nell'aceto; far evaporare* l'aceto quasi completamente; rimettere i pezzi di abbacchio e far insaporire per una decina di minuti mescolando spesso. Servire la pietanza* ben calda.
Vino consigliato: Rosso di Velletri.

Dissalati: senza sale.
Ciuffo: mazzetto, piccola quantità.
Filetto: ognuna delle due parti, pulite, di un pesce.
Diluire: sciogliere una sostanza solida in un liquido, o rendere meno densa una sostanza aggiungendo un liquido.
Rosolare: ibidem p. 54.
Evaporare: ibidem p. 65.
Pietanza: cibo servito a tavola.

Abruzzo

Prende il nome dal popolo dei Bruzii che anticamente abitavano l'Italia meridionale.

Per lungo tempo tanti abitanti di questa regione sono stati costretti ad emigrare all'estero, soprattutto in America e nel nord Italia, ma negli ultimi decenni, lungo il mare, sono sorte tante piccole industrie e si è sviluppato il turismo.

I turisti sono attratti anche dalle zone interne, dove ci sono bellissime montagne ed incantevoli paesini che hanno saputo conservare antiche abitudini e tradizioni.

Nel 1921 è stato istituito un Parco Nazionale di 400 kmq., con piante e animali molto rari.

La strana festa di Cocullo

Per molte persone il serpente non è un animale simpatico, perchè ha il corpo freddo, la pelle *viscida* e, a volte, è velenoso. A queste caratteristiche naturali si aggiunge la cattiva fama, dovuta alla storia di Adamo ed Eva nel Paradiso terrestre: da allora è stato identificato con il male, con il peccato, con l'inganno.

Ma a Cocullo, in provincia di L'Aquila, il primo giovedì di maggio di ogni anno i serpenti sono protagonisti della festa che si celebra in onore di San Domenico, patrono del paese.

È una strana festa, un pò sacra, un pò pagana, che ha le sue origini nella storia millenaria di Cocullo.

Le popolazioni che abitavano questi luoghi prima dell'avvento del Cristianesimo veneravano la dea Angizia, perché credevano che li difendesse dai serpenti che erano numerosissimi nella zona.

Ce n'erano così tanti che in primavera i *serpari* facevano il giro delle campagne attorno a Cocullo per catturarli ed ucciderli.

La gente li temeva non per il veleno, ma perché era convinta che succhiassero il latte di pecore, capre e mucche, danneggiando così l'economia del paese, basata essenzialmente sull'allevamento del bestiame.

Con il diffondersi del Cristianesimo il culto della dea Angizia scomparve, ma non il problema dei serpenti.

Verso la fine del 1100 arrivò a Cocullo, per una visita, l'*abate* Domenico, che fu accolto molto bene dalla popolazione.

Era onesto, saggio e altruista, e tutti lo ascoltavano con grande interesse e attenzione.

Quando dovette lasciare il paese gli abitanti gli chiesero di lasciare qualcosa come ricordo: essendo povero, e non sapendo come accontentarli, lasciò loro un suo dente ed un ferro del cavallo con il quale viaggiava, che vennero conservati come oggetti sacri e portafortuna.

Dopo la morte venne acclamato Santo e protettore del paese.

Per questo, qualche giorno prima della festa del patrono si catturano molti serpenti, conservati poi in speciali contenitori fino all'inizio dei festeggiamenti: la statua del Santo viene portata in *processione* per le vie del paese

---

Viscido: molle, scivoloso.
Serparo: persona specializzata nel catturare i serpenti.
Abate: frate, monaco.
Processione: cerimonia liturgica; corteo di persone che camminano in fila pregando e cantando.

mentre le campane suonano a festa e i serpari, dai lati della strada, lanciano i serpenti sulla statua, che lentamente si riempie di questi ospiti *striscianti*. Se lungo il percorso qualcuno di essi cade a terra, viene raccolto ed amorevolmente rimesso al suo posto.

La tradizione vuole che i partecipanti alla processione non girino mai le spalle al Santo, perciò chi precede la statua è costretto a camminare all'indietro.

Un tempo, alla fine della processione, i serpenti venivano uccisi, ma oggi si rimettono in libertà, perchè si sa che non sono pericolosi.

◆ **Questionario**

---

1) Perché i serpenti, in genere, non sono amati?
2) Chi è Angizia?
3) Perché gli abitanti di Cocullo temevano i serpenti?
4) Quando e perché Domenico andò a Cocullo?
5) Perché durante la processione qualcuno cammina all'indietro?
6) Cosa succede ai serpenti dopo la processione?

◆ **Scelta multipla**

---

1) Gli abitanti di Cocullo adoravano la dea Angizia perché
   a) proteggeva i serpenti
   b) pensavano che tenesse lontano i serpenti
   c) uccideva i serpenti

2) I serpenti
   a) uccidevano le pecore
   b) succhiavano il latte degli animali
   c) spaventavano gli animali

3) San Domenico
   a) era di Cocullo
   b) morì a Cocullo
   c) visse per poco tempo a Cocullo

4) I serpari
   a) uccidono i serpenti
   b) catturano i serpenti
   c) vendono i serpenti

Strisciante: che striscia (movimento del serpente).

◆ **Trovare delle espressioni che contengano le seguenti parole:**

Spalle, pelle, paradiso, peccato, dente, ferro, cavallo, terra, corpo.
(Es. corpo: *corpo contundente, corpo del reato, guardia del corpo, corpo a corpo, a corpo morto, avere il diavolo in corpo, corpo elettorale, spirito di corpo...*)

◆ **Indicare se sono sinonimi o contrari**

		S	C
Morte	decesso	❏	❏
Lentamente	velocemente	❏	❏
Viscido	scivoloso	❏	❏
Altruista	generoso	❏	❏
Riempire	vuotare	❏	❏
Precedere	seguire	❏	❏
Camminare	procedere	❏	❏
Onesto	leale	❏	❏
Saggio	riflessivo	❏	❏
Pericoloso	innocuo	❏	❏
Accogliere	ospitare	❏	❏
Interesse	disinteresse	❏	❏
Attenzione	disattenzione	❏	❏

◆ **Trovare per ogni nome delle qualificazioni adatte**

Serpente, animale, pelle, corpo, latte, economia, morte.
(Es. morte: *naturale, improvvisa, accidentale...*)

◆ **Formare una famiglia di parole**

Festa, campagna, veleno, povero, cavallo, paese.
(Es. paese: *paesano, paesaggio, paesino, paesello, paesaggista...*)

Simpatico   simpatia
Onesto
Altruista
Povero
Pericoloso
Cattivo
Economico

◆ **Formare il plurale**

L'animale   gli animali
L'allevamento
Il problema
L'abate
L'interesse
Il portafortuna
Il culto
Il serpente

◆ **Completare con le preposizioni**

... molte persone il serpente non è un animale simpatico, perchè ha il corpo freddo, la pelle viscida e, ... volte, è velenoso. ... queste caratteristiche naturali si aggiunge la cattiva fama, dovuta ... storia ... Adamo ed Eva ... Paradiso terrestre: ... allora è stato identificato ... il male, ... il peccato, ... l'inganno.

Ma ... Cocullo, ... provincia ... Aquila, il primo giovedì ... maggio ... ogni anno i serpenti sono protagonisti ... festa che si celebra ... onore ... San Domenico, patrono ... paese.

È una strana festa, un pò sacra, un pò pagana, che ha le sue origini ...storia millenaria ... Cocullo.

Le popolazioni che abitavano questi luoghi prima ...avvento ... Cristianesimo, veneravano la dea Angizia perchè credevano che li difendesse ... serpenti che erano numerosissimi ... zona.

- Completare delle frasi del testo con parole proprie
- Rimettere in ordine logico le parti, date in disordine, di una frase
- Rimettere in ordine logico le frasi, date in disordine, del testo
- Fare una sintesi orale e scritta del testo
- Raccontare vicende analoghe (in forma scritta e orale)
- Trovare musiche, canzoni, immagini relative al testo
- Fare una ricerca storica sull'argomento

Festa di Sant'Antonio a Pescocostanzo

La festa di Sant'Antonio è un esempio di come il sacro ed il profano siano mescolati in molte feste religiose tradizionali italiane. Antonio era un *eremita* egiziano vissuto nel terzo secolo dopo Cristo; visse molto tempo in solitudine, pregando e facendo penitenza lontano da ogni interesse per il mondo terreno. La gente raccontava cose straordinarie su di lui, e molti desideravano incontrarlo per chiedergli aiuti, consigli e conforto. Col passare dei secoli la fama della sua santità si diffuse in tutta Europa, e particolarmente in Italia.

Nella società *rurale* diventò il protettore delle attività agricole e degli animali domestici, soprattutto del maiale e della mucca, animali di fondamentale importanza nell'economia contadina.

A Pescocostanzo, una cittadina in provincia di L'Aquila, si svolge una grande festa popolare in suo onore.

La sera del 16 gennaio, per le vie del paese, gruppi di giovani (alcuni vestiti da angeli, uno da diavolo ed uno da Sant'Antonio) rappresentano con canzoni e drammatizzazioni alcuni momenti della vita del Santo.

La mattina del 17 un gruppo di persone passa di casa in casa per la raccolta della legna.

In passato veniva caricata su una "traja", una specie di slitta trainata da un paio di buoi; ora si usa un autoveicolo.

Ogni famiglia offre liberamente un pò di legna; se ne raccoglie sempre una gran quantità perché tutti sono generosi.

La legna viene poi selezionata: quella adatta per la costruzione di mobili viene portata in piazza e venduta ad un'*asta pubblica*; il denaro ricavato è usato per la manutenzione della chiesa di Sant'Antonio e per realizzare opere di interesse sociale.

La legna meno buona viene bruciata in un grande *falò* che si accende in onore del Santo la notte del 17; il fuoco attorno al quale tutti ballano e cantano in cerchio, rappresenta l'azione purificatrice della luce che allontana il male, identificato con il buio.

Un tempo il Comitato organizzatore, circa un anno prima della festa, comprava un maialino che gironzolava liberamente per il paese con un campanello al collo, e la gente gli dava qualcosa da mangiare; diventato ben grasso, costituiva il super premio della tradizionale lotteria di Sant'Antonio.

Eremita: persona che, di solito per motivi religiosi, vive da sola in luoghi remoti o deserti.
Rurale: contadino, campagnolo.
Asta pubblica: vendita al miglior offerente.
Falò: grande fuoco.

Siccome oggi gli animali non possono più girare liberamente per i centri abitati, il maiale viene comprato già grande qualche giorno prima della festa. In un grande vaso vengono messi dei cartoncini su ognuno dei quali è scritto un numero: chi estrae il numero diciassette vince il maiale.

◆ **Questionario**

---

1) Dove si trova Pescocostanzo?
2) Chi era Antonio?
3) Di dove era?
4) Da chi era venerato soprattutto?
5) Perché viene raccolta la legna il 17 gennaio?
6) Che cosa simboleggia il fuoco del "falò"?

◆ **Scelta multipla**

---

1) Antonio era un

a) eremita
b) frate
c) monaco

2) Antonio era

a) italiano
b) egiziano
c) siriano

3) La legna di buona qualità viene

a) venduta all'asta
b) conservata
c) bruciata in onore di Sant'Antonio

4) Il falò è simbolo di

a) distruzione
b) luce
c) allegria

◆ **Trovare delle espressioni che contengano le seguenti parole:**

Gente, maiale, casa, contadino, fuoco, collo, giorno, mondo.
(Es. mondo: *in capo al mondo, come è piccolo il mondo!, per tutto l'oro del mondo, il terzo mondo, venire al mondo, uomo di mondo...*)

◆ Trovare almeno un sinonimo

Contadino   agricoltore
Gente
Casa
Maiale
Mucca
Rurale
Adatto
Particolarmente

◆ Trovare per ogni nome delle qualificazioni adatte

Attività, animale, economia, vita, mobile, collo, società.
(Es. società: *rurale, borghese, industriale, moderna, antica, consumistica, alta...*)

◆ Formare una famiglia di parole

Società, agricolo, festa, canzone, legna, notte, giorno.
(Es. giorno: *giornata, giornaliero, giornale, giornalaio...*)

◆ Formare il plurale

L'eremita   gli eremiti
La società
L'attività
La notte
Il bue
Il falò
Il paio
La canzone

La legna meno buona bruciata ... un grande "falò" che si accende ... onore ...Santo la notte ... 17; il fuoco attorno ... quale tutti ballano e cantano ... cerchio, rappresenta l'azione purificatrice ... luce che allontana il male, identificato ... il buio.

Un tempo il Comitato organizzatore, circa un anno prima ... festa, comprava un maialino che gironzolava liberamente ... il paese ... un campanello ... collo, e la gente gli dava qualcosa ... mangiare; diventato ben grasso, costituiva il super premio ... tradizionale lotteria ... Sant'Antonio.

Siccome oggi gli animali non possono più girare liberamente ... i centri abitati, il maiale viene comprato già grande qualche giorno prima ... festa.

... un grande vaso vengono messi ... cartoncinisu ognuno ... quali è scritto un numero: vince il maiale chi estrae il numero 17.

◆ Per la creatività e per la verifica

- Completare delle frasi del testo con parole proprie
- Rimettere in ordine logico le parti, date in disordine, di una frase
- Rimettere in ordine logico le frasi, date in disordine, del testo
- Fare una sintesi orale è scritta del testo
- Raccontare vicende analoghe (in forma scritta e orale)
- Trovare musiche, canzoni, immagini relative al testo
- Fare una ricerca storica sull'argomento

BRODETTO ALLA VASTESE

kg.1 e 1/2 di pesce misto: sogliole, spigole, triglie, merluzzi, seppie, canocchie pronti per la cottura
dl.1 d'olio
gr.500 di polpa di pomodoro bene asciutta e tagliata a pezzettini
gr.100 di cipolla
4 spicchi d'aglio
1 cucchiaio di prezzemolo tritato* piuttosto grosso
fettine di pane fritte nell'olio
sale
abbondante peperoncino piccante in polvere

Mettere la cipolla e l'aglio tritati in una tegame molto largo con l'olio; far cuocere leggermente, aggiungere il prezzemolo e subito dopo il pomodoro. Far bollire e continuare la cottura per 5 minuti; versare mezzo litro d'acqua calda o brodo di pesce e far riprendere l'ebollizione*; aggiungere le seppie e far bollire per circa 10 minuti; aggiungere man mano tutto il pesce e condire con sale e peperoncino; far cuocere per altri 5 minuti ed aggiungere le canocchie; continuare la cottura a fuoco alto per altri 10 minuti.
Se il brodo è troppo denso allungarlo con un pò d'acqua calda. Servire ben caldo con le fettine di pane fritte nell'olio.
Vino consigliato: Bianchetto del Metauro.

Tritare: ibidem p. 42.
Ebollizione: passaggio di un liquido allo stato di vapore.

Molise

Il nome Molise, di origine incerta, fu dato dai Normanni nel sec. XI.

Questa regione ha molte cose in comune con il vicino Abruzzo, dal quale si è separato nel 1963; lungo la costa ci sono industrie e località balneari, invece nell'interno vaste zone sono ricoperte di verde e di boschi, con paesini abitati in gran parte da anziani, perchè molti giovani sono emigrati all' estero o nel nord Italia.

La festa del grano di Jelsi

A Jelsi, paese in provincia di Campobasso, l'attività principale è sempre stata l'agricoltura, e il prodotto più importante il grano.

Nel passato, durante i frequenti periodi di *carestia,* questo alimento ha salvato dalla morte persone ed animali. Il grano sopporta bene le variazioni climatiche e cresce anche su terreni poveri, perciò quando altri prodotti erano scarsi o mancavano del tutto era l'unico rimedio contro la fame.

La "festa del grano" quindi è un segno di riconoscenza verso la madre terra che lo produce.

Si rinnova così un rito antico che prima del Cristianesimo era dedicato alle divinità pagane della natura; oggi, invece, si celebra in onore di S. Anna, il 26 luglio.

I preparativi hanno inizio almeno un mese prima, durante la *mietitura,* quando si selezionano le spighe più grosse e più lunghe che, a raccolto finito, vengono messe a mollo nell'acqua per un giorno per renderle morbide e *duttili.*

Con esse, intrecciate o incollate una con l'altra, vengono realizzate delle geniali "sculture" raffiguranti vari oggetti e animali.

Verso la metà di luglio c'è una grande agitazione perché è un lavoro collettivo al quale partecipa tutto il paese; si lavora anche di notte per preparare tutto nel modo migliore.

Il 26 luglio, alle undici, inizia il corteo che *sfila* per le vie principali del paese per mostrare alla folla il risultato di giorni e notti di lavoro; aprono la sfilata le *traglie,* trainate da pecore o capre, sulla quali sono state sistemate le sculture fatte dai bambini; seguono le traglie grandi e i carri trainati dai buoi.

La sfilata è accompagnata dalla banda musicale e alcune ragazze, in costume tradizionale, precedono i carri tenendo in mano un cesto pieno di spighe di grano.

Alla fine una giurìa premia l'opera più bella.

Da molti paesi stranieri, in particolare dal Canada, dagli USA e dall'Australia, arrivano ogni anno gli emigranti originari di Jelsi o i loro figli e nipoti, per essere presenti a questo appuntamento che si ripete ormai dal 1805.

Carestia: scarsa disponibilità di cibo, a causa di guerre o di fenomeni meteorologici.
Mietitura: lavoro del mietere; tagliare il grano.
Duttile: si dice di una sostanza che si può piegare, allungare, modellare.
Sfilare: attraversare una città camminando in processione.
Traglia: mezzo simile ad una slitta usato dai contadini per trasportare legna ed erba.

1) Chi realizza le "sculture" con le spighe?
2) A che cosa servono le traglie?
3) Come mai arrivano visitatori anche dall'estero?
4) Quando è la festa di S. Anna?
5) Dove si trova Jelsi?
6) Qual è l'attività principale degli abitanti di Jelsi?

◆ **Scelta multipla**

1) Il grano
 a) non sopporta i cambiamenti di clima
 b) si adatta bene alle variazioni climatiche
 c) predilige il freddo

2) La festa del grano si celebra da
 a) pochi anni
 b) meno di tre secoli
 c) più di cento anni

3) Le spighe di grano devono essere
 a) pulite
 b) duttili
 c) dure

4) È un lavoro
 a) collettivo
 b) individuale
 c) necessario

5) I preparativi hanno inizio
 a) un mese prima
 b) una settimana prima
 c) il giorno prima

6) Le ragazze portano un cesto pieno di
 a) frutta
 b) spighe
 c) fiori

◆ **Indicare se sono sinonimi o contrari**

		S	C
Frequente	raro	☐	☐
Variazione	modificazione	☐	☐
Crescere	svilupparsi	☐	☐
Scarso	abbondante	☐	☐
Riconoscenza	gratitudine	☐	☐
Rito	consuetudine	☐	☐
Collettivo	individuale	☐	☐
Originario	oriundo	☐	☐
Duttile	malleabile	☐	☐

◆ **Trovare per ogni nome delle qualificazioni adatte**

Acqua, animale, lavoro, notte, bambino, grano.
(Es. grano: *duro, tenero, maturo...*)

◆ **Formare una famiglia di parole**

Acqua, notte, mano, lavoro.
(Es. lavoro: *lavoratore, laboratorio, lavorare, lavoraccio, lavoretto, collaboratore...*)

◆ **Trovare dei nomi riferibili ai seguenti aggettivi:**

Morbido, duttile, scarso.
(Es. scarso: *raccolto, patrimonio, nutrimento, chilometro, chilo...*)

Verso la metà ... luglio c'è una grande agitazione perché è un lavoro collettivo ...quale partecipa tutto il paese; si lavora anche ... notte ... preparare tutto ... modo migliore.

Il 26 luglio, ... undici, inizia il corteo che sfila ... le vie principali ... paese ... mostrare ... folla il risultato ... giorni e notti ... lavoro; aprono la sfilata le "traglie", trainate ... pecore o capre, ... quali sono state sistemate le sculture fatte ... bambini; seguono le "traglie" grandi e i carri trainati ... buoi.

◆ **Per la creatività e per la verifica**

- Completare delle frasi del testo con parole proprie
- Rimettere in ordine logico le parti, date in disordine, di una frase
- Rimettere in ordine logico le frasi, date in disordine, del testo
- Fare una sintesi orale e scritta del testo
- Raccontare vicende analoghe (in forma scritta e orale)
- Trovare musiche, canzoni, immagini relative al testo
- Fare una ricerca storica sull'argomento

Le campane di Agnone

Il suono delle campane fa parte della storia, della cultura, della tradizione di ogni città, di ogni paesino d'Italia.

Si suonavano le campane per invitare i fedeli in chiesa, per dare l'allarme in caso d' incendio, di *alluvione*, di guerra; per tenere lontani i temporali, per comunicare la morte di qualcuno, per indicare l'ora del pranzo e del *vespro*, per festeggiare un grande avvenimento religioso o laico, in modo da coinvolgere tutta la popolazione.

Oggi il loro uso è meno frequente perché la tecnologia ne ha ridotto l'utilità, ma restano sempre un simbolo familiare ed amato.

Ma chi ha inventato le campane? E perché si chiamano così? Sembra che sia stato San Paolino il primo ad usarle intorno al 410 d.C., per invitare alla *Messa* gli abitanti della città di Nola, di cui era *vescovo*.

Nola si trova in provincia di Napoli, in Campania, e proprio dal nome di questa regione deriva il vocabolo campana.

Già nell'antica Grecia, comunque, esistevano oggetti per richiamare l'attenzione della gente: si battevano tavolette di legno o piccole lastre di ferro, chiamate "synadromon"; gli antichi Romani, invece, usavano un campanello, da loro chiamato nota o "tintinnabulum".

Con questo strumento si invitavano i fedeli in chiesa già al tempo dell'Imperatore Costantino, vissuto un secolo prima di San Paolino.

Per molto tempo le campane furono usate soltanto in poche zone dell'Italia meridionale: si racconta che i barbari, provenienti dal nord, avessero paura di quel suono a loro sconosciuto.

La diffusione iniziò nell'anno 968 d.C., quando il Papa Giovanni XXII fece collocare una grossa campana nella chiesa di San Giovanni in Laterano, a Roma: tutte le altre chiese, per imitazione, ne vollero una non solo in Italia, ma in tutto il mondo.

Sebbene la produzione di campane sia iniziata in Campania, dopo qualche tempo fu un paesino del Molise, Agnone, a diventare il centro più importante di questa attività, grazie ai suoi abilissimi artigiani che di padre in figlio l'hanno tramandata fino ad oggi.

Alluvione: l'acqua di un fiume esce ed allaga i terreni vicini.
Vespro: tardo pomeriggio, l'ora del tramonto del sole.
Messa: cerimonia religiosa.
Fedeli: coloro che praticano una fede religiosa.
Vescovo: ministro della Chiesa Cattolica.

Il primo materiale usato per fare campane fu la pietra, quindi il ferro battuto, infine il bronzo, scelto per la migliore qualità del suono che produceva. Realizzare una campana è abbastanza complicato perché richiede notevoli conoscenze artigianali, un buon orecchio musicale e grande abilità artistica: ecco perchè la tecnologia moderna non ha portato grandi cambiamenti. Infatti il procedimento è rimasto sostanzialmente invariato da 1600 anni e Agnone ancora oggi, fabbrica campane per le chiese di tutto il mondo.

◆ **Questionario**

1) Dove si trova Agnone?
2) Perché le campane hanno questo nome?
3) Gli antichi Greci e Romani usavano le campane?
4) Che importanza ha l'anno 986?
5) Quale materiale si usa per fabbricare una campana?
6) Esiste una scuola per diventare costruttori di campane?

◆ **Scelta multipla**

1) Il suono delle campane
   a) annunciava la nascita di qualcuno
   b) annunciava la morte di qualcuno
   c) indicava l'ora di alzarsi

2) All'inizio le campane si suonavano solo nel
   a) sud Italia
   b) l'antica Grecia
   c) centro Italia

3) Le prime campane furono usate nel
   a) 410
   b) 968
   c) 390

4) Le prime campane erano di
   a) legno
   b) pietra
   c) metallo

5) Il suono delle campane
   a) attirava i barbari
   b) incuriosiva i barbari
   c) spaventava i barbari

◆ **Indicare se sono sinonimi o contrari**

		S	C
Invitare	chiamare	❏	❏
Fedele	infedele	❏	❏
Guerra	conflitto	❏	❏
Temporale	tempesta	❏	❏
Vita	decesso	❏	❏
Sconosciuto	noto	❏	❏
Collocare	porre	❏	❏
Notevole	ragguardevole	❏	❏
Attività	professione	❏	❏
Immutato	inalterato	❏	❏

◆ **Trovare per ogni nome delle qualificazioni adatte**

Paese, incendio, temporale, pietra, ora.
(Es. ora: *solare, legale, locale, solita, lavorativa...*)

◆ **Formare una famiglia di parole**

Campana, barbaro, paura, legno, ferro, paese.
(Es. paese: *paesano, paesaggio, paesaggista, paesino, paesetto, spaesato...*)

◆ **Formare il plurale**

L'incendio	gli incendi
L'alluvione	
L'ora	
L'avvenimento	
L'oggetto	
La produzione	
L'attività	
L'orecchio	
L'abilità	

◆ Dal verbo al nome corrispondente e viceversa

Suono   suonare
Festeggiare   festeggiamento
Invito
Allarmare
Incendio
Comunicare
Morte
Indicazione
Pranzo
Realizzare
Coinvolgimento
Invenzione
Vivere
Spaventare
Diffusione
Imitazione
Produzione
Cambiamento

◆ Completare con le preposizioni

Il suono ... campane fa parte ... storia, ... cultura, ... tradizione ... ogni città, ... ogni paesino ... Italia.

Si suonavano le campane ... invitare i fedeli ... chiesa, ... dare l' allarme ... caso ... incendio, ... alluvione, ... guerra, ... tenere lontani i temporali, ... comunicare la morte ... qualcuno, ... indicare l' ora ... pranzo e ... vespro, ... festeggiare un grande avvenimento religioso o laico, .. modo ... coinvolgere tutta la popolazione.

◆ Per la creatività e per la verifica

- Completare delle frasi del testo con parole proprie
- Rimettere in ordine logico le parti, date in disordine, di una frase
- Rimettere in ordine logico le frasi, date in disordine, del testo
- Fare una sintesi orale e scritta del testo
- Raccontare vicende analoghe (in forma scritta e orale)
- Trovare musiche, canzoni, immagini relative al testo
- Fare una ricerca storica sull'argomento

RICETTA TIPICA

CRESPELLA ALLA MOLISANA

gr. 300 di farina setacciata*
3 uova
gr. 50 di burro
gr. 50 di zucchero
qualche cucchiaino di vino cotto o la
scorza grattugiata di mezzo limone
olio
zucchero a velo
sale

Impastare con la farina le uova, il burro, lo zucchero, il vino cotto o la scorza di limone, ed un pizzico di sale; deve venire un impasto morbido. Stenderlo con il mattarello formando una sfoglia*, e tagliarla in pezzi di varia forma: rotondi, quadrati, rettangolari.
Gettarli nell'olio fumante, sgocciolarli* dopo pochissimi secondi e disporli a monticelli su un gran piatto, cospargendoli di zucchero a velo, semplice o vanigliato.
Vino consigliato: Albana amabile.

Setacciare: separare le parti grosse dalle più piccole dei cereali macinati.
Sfoglia: impasto di farina e uova ridotto in uno strato sottile.
Sgocciolare: ibidem p. 115.

Campania

Il nome le deriva dal vocabolo latino "campus", cioè campagna aperta, pianura.

Il Vesuvio è il simbolo di questa regione: è molto pericoloso perché, secondo gli esperti, potrebbe esplodere ancora come nel 79 d.C., quando distrusse le cittadine di Ercolano, Pompei e Stabia.

Il terreno fertilissimo ed il clima dolce sono però una fortissima attrazione per la popolazione: è la zona più densamente popolata d'Italia.

Il capoluogo, Napoli, è nota in tutto il mondo per la canzone, per la pizza e per le splendide bellezze naturali.

La pizza

Pizza è sinonimo di cibo gustoso, allegro, giovane e a buon mercato; solo al sentirla nominare viene l'*acquolina in bocca*!

Inoltre ce n'è per tutti i gusti, grazie alla varietà di ingredienti quasi infinita con cui può essere preparata.

È uno dei simboli dell'Italia, ma più ancora di Napoli, dove è nata verso la fine del Settecento dall'abbinamento del pomodoro con la focaccia, cioè un tipo di pane, rotondeggiante e molto schiacciato, cotto al forno o alla brace; veniva solitamente condito con olio e sale; quindi potremmo definirla l'antenata della pizza!

Il pomodoro, come è noto, arrivò in Europa dal Perù nei primi anni del Seicento, ma non venne subito usato come alimento, perchè si pensava che non fosse *commestibile*; quando finalmente fu utilizzato in cucina, con la focaccia fu "amore a prima vista!"

Il primo tipo di pizza fu la "marinara": si chiama così perchè quando i pescatori, dopo una notte passata in mare per la pesca, tornavano a terra, avevano l'abitudine di mangiare il pane appena sfornato, condito con pomodoro, olio, aglio ed origano.

La pizza più famosa, la "margherita", fu inventata dal pizzaiolo napoletano Raffaele Esposito.

Un giorno di giugno del 1889 Margherita, la regina d'Italia, che viveva per lunghi periodi a Napoli, espresse il desiderio di mangiare qualcosa di diverso dalla solita cucina molto *elaborata* alla quale era abituata.

I suoi servitori si rivolsero al pizzaiolo che, emozionatissimo, ma deciso a fare bella figura, si mise al lavoro.

Non erano ancora state sperimentate molte varietà di pizza, tuttavia al pizzaiolo Raffaele non mancavano fantasia e creatività: preparò la pizza con ingredienti che ricordavano i colori della bandiera italiana, cioè pomodoro per il rosso, mozzarella per il bianco e basilico (che significa "erba regale"!) per il verde.

La regina Margherita apprezzò molto quella pietanza, e da quel giorno la pizza, considerata prima un cibo per poveri, diventò gradita anche ai nobili che vollero seguire l'esempio della regina.

Per qualche tempo si fecero servire il nuovo piatto a casa, ma presto iniziarono

Acquolina in bocca: per il grande desiderio di un cibo gustoso, in bocca si forma un pò di liquido, di saliva, detto acquolina.
Commestibile: qualcosa che si può mangiare.
Cucina elaborata: è il contrario di cucina semplice, povera.

anche loro a frequentare le pizzerie, e qualcuno disse che la pizza aveva avvicinato la plebe all'aristocrazia, sebbene i poveri la mangiassero per fame ed i ricchi per curiosità e snobismo.

◆ **Questionario**

---

1) Il pomodoro fu il primo ingrediente della pizza?
2) Perché il primo tipo di pizza fu chiamato "marinara"?
3) Quale è la pizza più famosa e perché?
4) Chi l'ha inventata?
5) Perché il giugno 1889 è un mese importante nella storia della pizza?
6) Perché si può dire che la pizza avvicinò la plebe all'aristocrazia?

◆ **Scelta multipla**

---

1) La pizza è nata
    a) a Napoli
    b) a Roma
    c) in Perù

2) Il primo tipo di pizza fu
    a) alla marinara
    b) la margherita
    c) la capricciosa

3) La focaccia è
    a) l'antenata della pizza
    b) la stessa cosa della pizza
    c) tutt'altra cosa rispetto alla pizza

4) I primi ingredienti della pizza furono
    a) olio e sale
    b) pomodoro e sale
    c) olio, sale e pomodoro

5) I ricchi mangiavano la pizza per
    a) snobismo
    b) fame
    c) simpatia

6) La pizza è un cibo
    a) elaborato
    b) a buon mercato
    c) caro

◆ **Trovare delle espressioni che contengano le seguenti parole:**

Pizza, gusto, sale, uovo, pane, colore, fame, bocca.
(Es. bocca: *a bocca aperta, in bocca al lupo, acqua in bocca, di bocca buona, rifarsi la bocca, non aprire bocca, sulla bocca di tutti...*)

◆ **Indicare se sono sinonimi o contrari**

		S	C
Gustoso	saporito	☐	☐
Cotto	crudo	☐	☐
Condito	scondito	☐	☐
Commestibile	mangiabile	☐	☐
Inventare	ideare	☐	☐
Emozionato	impassibile	☐	☐
Sperimentare	provare	☐	☐
Apprezzare	gradire	☐	☐

◆ **Trovare per ogni nome delle qualificazioni adatte**

Gusto, pane, pizza, notte, pietanza, pomodoro, cibo.
(Es. cibo: *saporito, insipido, gustoso, freddo, caldo, piccante...*)

◆ **Formare una famiglia di parole**

Fame, pane, colore, allegro, rosso, bianco, bocca.
(Es. bocca: *abboccare, boccone, boccata, imboccare, boccheggiare...*)

I suoi servitori si rivolsero ... pizzaiolo che, emozionatissimo, ma deciso ... fare bella figura, si mise ... lavoro.

Non erano ancora state sperimentate molte varietà ... pizza, tuttavia ... pizzaiolo Raffaele non mancavano fantasia e creatività: preparò la pizza ... ingredienti che ricordavano i colori ... bandiera italiana, cioè pomodoro ... il rosso, mozzarella ... il bianco e basilico (che significa "erba regale"!) ... il verde.

La regina Margherita apprezzò molto quella pietanza, e ... quel giorno la pizza, considerata prima un cibo ... poveri, diventò gradita anche ... nobili che vollero seguire l'esempio ... regina.

◆ **Per la creatività e per la verifica**

- Completare delle frasi del testo con parole proprie
- Rimettere in ordine logico le parti, date in disordine, di una frase
- Rimettere in ordine logico le frasi, date in disordine, del testo
- Fare una sintesi orale e scritta del testo
- Raccontare vicende analoghe (in forma scritta e orale)
- Trovare musiche, canzoni, immagini relative al testo
- Fare una ricerca storica sull'argomento

La tarantella napoletana

La tarantella è un antico ballo, conosciuto in tutte le regioni dell'Italia meridionale, soprattutto in Puglia e Campania.

Per alcuni antropologi rappresenta il corteggiamento fra uomo e donna; per i sociologi è invece un modo per stare vicini, guardarsi, toccarsi e scambiare qualche parola, in una società dove maschi e femmine non avevano molte possibilità di contatto.

Fu molto popolare nel Seicento, quando diventò la danza tipica del carnevale, come la samba in Brasile; nell'Ottocento affascinò molti grandi musicisti europei, tra cui Rossini, Chopin, Liszt e Mendelssohn.

Il famoso soprano Maria Malibran, che era di origini franco-spagnole ed aveva trascorso l'infanzia a Napoli, l'amava tanto che ne compose una, la quale divenne subito famosissima, soprattutto tra i napoletani.

La tarantella fu sicuramente influenzata dalla musica del Cinquecento, ma le sue origini sono ancora più antiche: secondo alcuni il suo nome deriva dalla città di Taranto, in Puglia, invece è stato dimostrato che la tarantella napoletana ha un'origine indipendente da quella pugliese, ed il suo nome deriva probabilmente dall'espressione "ntanterentera", senza significato ma utile per dare il ritmo ai ballerini.

Può essere sicuramente considerata uno degli esempi più interessanti della musica di Napoli, città famosa per le sue canzoni indimenticabili.

In una composizione in onore del re Alfonso d'Aragona (1448-1495), che fece conoscere a Napoli la cultura del *Rinascimento*, si trovano molte somiglianze con la musica araba e con il fandango, ritmo importato dalla Spagna.

La fusione con queste due musiche, moresco e fandango, diede vita alla tarantella quale oggi la conosciamo, di cui troviamo testimonianza in molti dipinti di artisti di quel tempo che, attratti dall'affascinante atmosfera napoletana, arrivavano da tutta l'Europa. Ancora oggi è sinonimo della città di Napoli, però si balla soprattutto in occasione di feste folkloristiche.

Rinascimento: importante movimento culturale italiano dei sec. XV e XVI.

◆ **Questionario**

1) Quali sono le origini sociali della tarantella?
2) Perché si chiama così?
3) In quale periodo ha raggiunto il massimo livello di popolarità?
4) Era un ballo famoso solo in Italia?
5) Chi era Maria Malibran?
6) Che rapporto c'è fra la tarantella e il fandango?

◆ **Scelta multipla**

1) Secondo gli antropologi la tarantella è
   a) una forma di corteggiamento
   b) un modo per stare vicini
   c) un ballo senza un preciso significato

2) Il ritmo della tarantella
   a) è simile alla samba
   b) ha somiglianze con la musica spagnola
   c) è influenzato dalla musica romantica

3) Maria Malibran era
   a) napoletana
   b) in visita a Napoli
   c) una ballerina di tarantella

◆ **Trovare almeno un sinonimo**

Vicino   accanto, adiacente
Ballo
Guardare
Famoso
Trascorrere
Probabilmente
Considerare
Dipinto

◆ **Trovare per ogni nome delle qualificazioni adatte**

Uomo, donna, musica, ritmo, ballo, origine, soprano.
(Es. soprano: *lirico, leggero, drammatico...*)

◆ **Formare una famiglia di parole**

Corteggiamento, ritmo, dipinto, tempo, re.
(Es. re: *regno, regnare, regina, reggia, regale...*)

◆ **Formare il plurale**

L'uomo   gli uomini
Il sociologo
L'antropologo
La società
La possibilità
La città
Il re
Il turista

◆ **Completare con le preposizioni**

... una composizione ... onore ... re Alfonso ...Aragona (1448-1495), che fece conoscere ... Napoli la cultura ... Rinascimento, si trovano molte somiglianze ... la musica araba e ... il fandango, ritmo importato ... Spagna.

La fusione ... queste due musiche, moresco e fandango, diede vita ... tarantella quale oggi la conosciamo, ... cui troviamo testimonianza ... molti dipinti ... artisti ... quel tempo che, attratti ...affascinante atmosfera napoletana, arrivavano ... tutta l'Europa.

Ancora oggi è sinonimo ... città ... Napoli, però si balla soprattutto ...occasione ... feste folkloristiche.

◆ **Per la creatività e per la verifica**

- Completare delle frasi del testo con parole proprie
- Rimettere in ordine logico le parti, date in disordine, di una frase
- Rimettere in ordine logico le frasi, date in disordine, del testo
- Fare una sintesi orale e scritta del testo
- Raccontare vicende analoghe (in forma scritta e orale)
- Trovare musiche, canzoni, immagini relative al testo
- Fare una ricerca storica sull'argomento

Far cuocere velocemente la carne nell'olio con l'aglio; salare. Togliere la carne dalla padella e conservarla calda tra due piatti. Nel sugo della carne aggiungere i pomodori a pezzi, sale, pepe, origano e cuocere per dieci minuti circa.

Rimettere la carne nel sugo, coprirla e finire la cottura a calore basso per pochi minuti.

Vino consigliato: Falerno.

Schiacciati: fatti in piccolissimi pezzi.

Basilicata

Fu colonizzata dai Greci (sec. VI a.C.) come la Puglia, la Campania, la Calabria e la Sicilia con le quali costituiva la Magna Grecia (grande Grecia).

Successivamente i Romani la chiamarono Lucania, perchè era quasi completamente ricoperta di foreste (in latino bosco=lucus).

Dal sec. XI è chiamata Basilicata, da Basilikoàs, nome greco dell'Imperatore bizantino che governava la regione.

Nei tempi moderni la Basilicata è stata una terra di emigranti, perché l'agricoltura rendeva poco, e l'industria tardava a svilupparsi.

Oggi è di buon livello il turismo balneare (Maratèa) e culturale (Metaponto, Eraclèa).

Le nozze di legno

Il matrimonio fra due alberi è l'originale festa che si celebra l'ultima domenica di maggio ad Accettura, un paese vicino a Matera.

Lo sposo si chiama Maggio ed è l'*acero* più alto e più diritto: un vero e proprio re del bosco; la sposa, Cima, è la più bella, frondosa e maestosa chioma di *agrifoglio*, una splendida regina. All'alba del giorno di festa, fra canti e suoni di campane, un gruppo di uomini parte per andare a tagliare il grosso albero che è stato individuato e scelto qualche giorno prima; questo rituale è accompagnato da un canto che, secondo la tradizione, ha il potere di *alleviare* il dolore dei colpi di *scure*.

Una volta tagliato e ben pulito, il tronco viene portato in paese; intanto altri sono andati a prendere la Cima, ed accompagnati dal suono di cornamuse e zampogne la conducono all'incontro con il Maggio.

L'unione avviene nella piazza principale del paese: alla parte superiore del Maggio, che è stato piantato a terra, viene legata la Cima, in modo da formare un nuovo tipo di albero.

Durante la cerimonia un gruppo di ragazze, con corone di fiori in testa, danzano intorno alla coppia.

Nel punto di unione fra il Maggio e la Cima viene messo un bellissimo premio per il vincitore della tradizionale arrampicata: bisogna scalare il Maggio usando la forza delle braccia e delle gambe.

Molti provano, ma l'impresa è molto più difficile di quanto si possa pensare, perché il tronco non solo è alto, ma è anche unto d'olio e di grasso.

Tanto tempo fa la festa di Accettura aveva una finalità *propiziatoria*, infatti gli antichi credevano che dalla felice unione delle divinità maschili e femminili che popolavano le foreste (simboleggiate dal Maggio e dalla Cima), dipendesse il buon andamento di tutto l'anno, soprattutto nella raccolta dei prodotti agricoli, perchè in questa regione la carestia è stata per secoli il nemico più terribile.

Con questa cerimonia la popolazione ringraziava per il cibo ed il lavoro dell'anno passato, e pregava affinché l'anno successivo fosse ancora migliore.

Acero: pianta di alto fusto con foglie verdi o rosse.
Agrifoglio: piccolo albero sempre verde.
Alleviare: rendere più sopportabile, meno doloroso.
Scure: utensile, attrezzo usato per tagliare gli alberi.
(Con) Finalità propiziatoria: (con) lo scopo di avere l'aiuto delle forze della natura.

◆ Questionario

1) Dove si trova Accettura?
2) Perché gli uomini cantano mentre tagliano il Maggio?
3) Quali piante vengono scelte?
4) Che cosa è l'arrampicata?
5) Perché salire sul tronco è faticoso e difficile?
6) Quale scopo aveva anticamente la festa di Accettura?

◆ Scelta multipla

1) La sposa è una pianta di
   a) acero
   b) agrifoglio
   c) abete

2) È difficile arrampicarsi perché il tronco è
   a) unto
   b) bagnato
   c) sporco

3) Anticamente questa festa aveva una finalità
   a) propiziatoria
   b) sociale
   c) economica

4) In passato il problema maggiore di questa regione era
   a) la carestìa
   b) la sete
   c) la guerra

5) Il Maggio e la Cima simboleggiano
   a) due divinità forestali
   b) la forza e la purezza
   c) la ricchezza e la povertà

◆ Trovare delle espressioni che contengano le seguenti parole:

Gambe, braccia, terra, piantare.
(Es. piantare: *piantare le tende, piantare una grana, piantare tutto, piantare in asso, piantare baracca e burattini; piantala!...*)

◆ **Collegare i sinonimi**

Dolore — sofferenza

Dolore
Suono
Cerimonia
Bosco
Splendido
Carestìa
Terribile
Cibo

melodia
alimento
penuria
meraviglioso
sofferenza
celebrazione
selva
spaventoso

◆ **Trovare per ogni nome delle qualificazioni adatte**

Giorno, canto, anno, suono.
(Es. suono: *metallico, acuto, basso, cupo, dolce, chiaro...*)

◆ **Formare una famiglia di parole**

Festa, canto, paese, forza, accompagnare, prodotto.
(Es. prodotto: *produttore, produzione, produrre, produttivo, improduttivo...*)

◆ **Completare con le preposizioni**

Molti provano, ma l'impresa è molto più difficile ... quanto si possa pensare, perché il tronco non solo è alto, ma è anche unto ...olio e ... grasso.
Tanto tempo fa la festa ... Accettura aveva una finalità propiziatoria, gli antichi credevano che ... felice unione ... divinità maschili e femminili che popolavano le foreste (simboleggiate ... Maggio e ... Cima), dipendesse il buon andamento ... tutto l'anno, soprattutto ... raccolta ... prodotti agricoli, perché ... questa regione la carestìa è stata ... secoli il nemico più terribile.
... questa cerimonia la popolazione ringraziava ... il cibo ed il lavoro ...anno passato, e pregava affinchè l'anno successivo fosse ancora migliore.

◆ Per la creatività e per la verifica

- Completare delle frasi del testo con parole proprie
- Rimettere in ordine logico le parti, date in disordine, di una frase
- Rimettere in ordine logico le frasi, date in disordine, del testo
- Fare una sintesi orale è scritta del testo
- Raccontare vicende analoghe (in forma scritta e orale)
- Trovare musiche, canzoni, immagini relative al testo
- Fare una ricerca storica sull'argomento

RICETTA TIPICA

MELANZANE
AL FORNO

kg. 1 di melanzane
gr. 30 di pane grattugiato
gr. 60 di filetti di acciughe*
due cucchiai di prezzemolo tritato*
uno spicchio d'aglio
gr. 50 di capperi
un cucchiaino di origano
gr. 450 di polpa di pomodoro
cinque cucchiai d'olio
sale

Tagliare le melanzane, salarle e lasciarle così per un'ora per far perdere l'acqua amara che contengono. Intanto mescolare bene in un piatto i filetti d'acciuga tagliati, il prezzemolo, i capperi, l'origano, il pane grattugiato ed un pizzico di sale.
Mettere le melanzane in un tegame da forno dove sono stati già versati due cucchiai d'olio, coprirle con il miscuglio già preparato con la polpa di pomodoro.
Condire con l'olio rimasto e mettere in forno caldo a 180° per un'ora circa.
Vino consigliato: Greco Aglianico.

Acciuga: ibidem p. 20.
Tritare: ibidem p. 42.

Puglia

È l'antica Apulia, abitata da molte popolazioni, fra le quali gli Apuli, colonizzate dai Greci (sec. VII a.C.), poi assoggettate dai Romani nel sec. IV a.C..

La Puglia continua ad essere, come in passato, il naturale collegamento con la Grecia, l'Albania e i paesi del Medio Oriente.

Ogni anno a Bari, capoluogo della regione, si svolge la Fiera del Levante con lo scopo di potenziare i rapporti commerciali fra l'Italia e i paesi mediterranei.

Il ballo del ragno

La tarantella è una danza vivace e ritmata che si balla in occasione di importanti feste popolari nel Salento, penisola dell'Italia meridionale detta anche "tacco dello stivale": l'Italia è chiamata così per la sua forma unica.

Questo ballo è ciò che rimane di antichissime tradizioni pagane alle quali il Cristianesimo si è sovrapposto, senza però cancellarle del tutto.

La tarantella non esprime gioia e spensieratezza: chi la balla, lotta per la vita. Infatti nel Salento vive un ragno, detto tarantola, dall'aspetto disgustoso: è grosso e peloso, quasi tutto colorato di giallo-arancione, con macchie nere sul *ventre* e disegni grigi sul *dorso*.

Il suo morso provoca irritazioni, e ad alcune persone può causare allucinazioni; un tempo, però, si credeva che fosse molto più pericoloso, e questo ha dato origine alla tarantella che, quindi, è una danza terapeutica.

Il tarantolato, cioè chi è stato morso dalla tarantola, può diventare *abulico*, *apatico*, o può, al contrario, smaniare, muoversi freneticamente, gridare: secondo la tradizione il morso stabilisce fra lui ed il ragno un legame misterioso, per mezzo del quale la bestia trasmette le proprie sensazioni all'uomo.

Chi si trova in tale stato *confusionale* non può lavorare, e questo, in passato, quando le assenze dal lavoro non erano pagate, poteva significare la miseria per la famiglia, solitamente numerosa.

Un grande aiuto fu trovato nella musica.

Alcuni musicisti eseguivano molti tipi di melodìa fino a scoprire quella opportuna; quando il ritmo musicale ed i movimenti del tarantolato si accordavano perfettamente si generava una danza ripetitiva, in cui il movimento ritmico dei piedi aveva l'obiettivo simbolico di calpestare ed uccidere il ragno. I musicisti continuavano a suonare anche per ore, e la danza andava avanti finchè il tarantolato non riprendeva il controllo dei movimenti, fino a quando, cioè, secondo la tradizione, la musica era riuscita ad annullare l'effetto del veleno; probabilmente era grazie al continuo movimento che l'ammalato tornava alla normalità.

Ventre: pancia.
Dorso: schiena.
Abulico: senza volontà di agire, di lavorare, di studiare.
Apatico: persona che non prova nessun tipo di emozione.
Stato confusionale: confusione mentale, quando una persona non sa più controllare le proprie azioni e i propri pensieri.

Con il passare del tempo il cerimoniale divenne più ricco, ed alla musica si aggiunsero il canto, la danza, il colore ed il profumo; quest'ultimo era dovuto all'uso di erbe aromatiche quali il basilico, la ruta, la cedrina.

Si riteneva che la terapia desse risultati migliori se il malato riusciva a ricordare il luogo esatto in cui era stato morso, e il colore dominante del ragno.

In questo caso i musicisti eseguivano in quel luogo i brani scelti ed indossavano abiti del colore del ragno; le tinte più comuni erano il verde, il giallo ed il rosso.

Gli strumenti usati non erano sempre gli stessi: a volte si cantava al suono delle trombe; in altre occasioni si suonavano violini e cetre; altre volte strumenti a percussione.

Se il tarantolato subiva l'influenza del verde si suonavano o cantavano brani melodici romantici; se invece si trattava del rosso, che a volte provocava nel malato manifestazioni violente di paura, erano preferite musiche marziali, di tipo militare.

Nei casi più gravi si eseguiva una marcia *funebre:* era questo un caso di musica apotropaica, cioè di musica che affronta direttamente un argomento di cui si ha paura, per allontanarlo.

◆ Questionario

1) Che cosa è il Salento?
2) Perché l'Italia è chiamata "stivale"?
3) Quali origini ha la tarantella?
4) Quale aspetto ha la tarantola?
5) Come si comporta il tarantolato?
6) Che importanza ha il colore nella cura del tarantolato?
7) Perché la tarantella è una danza terapeutica?

Marcia funebre: musica che si esegue durante un funerale (in chiesa o mentre si accompagna il morto al cimitero).

1) La tarantella esprime

    a) gioia
    b) paura
    c) lotta per vivere

3) La tarantola è

    a) un ballo
    b) un animale
    c) una malattia

3) La tarantola ha una aspetto

    a) piacevole
    b) disgustoso
    c) odioso

4) Il tarantolato può diventare

    a) violento
    b) abulico
    c) allegro

5) La danza del tarantolato è

    a) ripetitiva
    b) lenta
    c) veloce

6) Gli strumenti musicali più usati sono

    a) la tromba
    b) la chitarra
    c) il piano

◆ **Collegare i sinonimi**

Vivace	medesimo
Opportuno	allegro
Stesso	tinto
Complesso	conveniente
Disgustoso	preoccupato
Colorato	abulico
Indolente	ripugnante
Pensieroso	complicato

◆ **Trovare per ogni nome delle qualificazioni adatte**

Danza, festa, musica, canto, profumo.
(Es. profumo: *delicato, inebriante, acuto, penetrante...*)

◆ **Formare una famiglia di parole**

Danza, bestia, uomo, lavorare, miseria, canto, musica, colore.
(Es. colore: *colorante, colorare, coloratura, colorazione, colorificio, scolorire, incolore...*)

◆ **Formare il plurale**

Terapeutico   terapeutici
Abulico
Apatico
Ritmico
Simbolico
Aromatico
Melodico
Romantico

◆ **Completare con le preposizioni**

Gli strumenti usati non erano sempre gli stessi: ... volte si cantava ... suono ...trombe; ... altre occasioni si suonavano violini e cetre; altre volte strumenti ... percussione.
Se il tarantolato subiva l'influenza ... verde si suonavano o cantavano brani melodici romantici; se invece si trattava ... rosso, che ... volte provocava ... malato manifestazioni violente ... paura, erano preferite musiche marziali, ... tipo militare.

◆ **Trovare dei nomi riferibili ai seguenti aggettivi**

Misterioso, opportuno, complesso, dominante, grave, disgustoso.
(Es. disgustoso: *aspetto, cibo, sapore, odore...*)

◆ **Per la creatività e per la verifica**

- Completare delle frasi del testo con parole proprie
- Rimettere in ordine logico le parti, date in disordine, di una frase
- Rimettere in ordine logico le frasi, date in disordine, del testo
- Fare una sintesi orale e scritta del testo
- Raccontare vicende analoghe (in forma scritta e orale)
- Trovare musiche, canzoni, immagini relative al testo
- Fare una ricerca storica sull'argomento

La Festa di S. Antonio abate a Novoli

Il 16 e il 17 gennaio a Novoli, in provincia di Lecce, si celebra la festa di S. Antonio abate con un grande falò.

La leggenda, la storia, il mito e il sentimento religioso si mescolano in modo inscindibile in questa ricorrenza.

Una leggenda popolare racconta che tanti secoli fa, quando non c'era nessun tipo di riscaldamento e l'uso del fuoco era sconosciuto, gli uomini soffrivano così tanto a causa del freddo che pensarono di chiedere aiuto a S. Antonio.

Alcuni si misero in cammino e andarono a trovarlo nella grotta in cui viveva come *eremita*. Lui ascoltò la loro preghiera e promise di aiutarli.

Accompagnato dal suo fedele maialino andò all'inferno a prendere un pò di fuoco: lì, infatti, ce n'è una grande quantità e non si spegne mai! Siccome all'inferno non ci vuole andare nessuno neanche per una breve visita, S. Antonio pensava che lo avrebbero fatto entrare senza difficoltà, invece i diavoli che erano di guardia gli impedirono l'ingresso.

Tuttavia, mentre discuteva con loro, il maialino riuscì ad entrare e cominciò a *scorrazzare* dovunque provocando una confusione…infernale!

Allora il capo dei diavoli diede ad Antonio il permesso di entrare per riprenderlo ed andarsene subito.

Durante questa breve permanenza all'inferno riuscì a bruciare la punta del bastone con il quale, appena tornato fra i vivi, incendiò della legna offrendo così il prezioso fuoco agli uomini. Con la *focura*, quindi, si vuole ricordare questa leggenda e festeggiare S. Antonio, che dal 1666 è il patrono di Novoli.

Alcune settimane prima della festa molti volontari cominciano a procurare le *fascine* necessarie per formare una *catasta* a forma di cono rovesciato; ogni anno vengono utilizzate oltre cinquantamila fascine. Sulla cima viene sistemato un ramo di arancio e una statua che raffigura il Santo. La sera del 16, dopo una giornata dedicata alle funzioni religiose, si accende la catasta; secondo la tradizione le fiamme devono essere alte come il Duomo di Novoli. È uno spettacolo affascinante: la luce del falò è visibile a molti chilometri di distanza. Tutt'intorno centinaia di persone danzano e cantano.

Quando a notte fonda la legna è completamente consumata, ognuno torna a casa portando con sè un pezzo di legno acceso e un pò di cenere, perché si pensa che proteggano la casa dal malocchio e dalle disgrazie.

Eremita: ibidem p. 151.
Scorrazzare: correre in qua e in là, in tutte le direzioni.
Focura: deriva dal vocabolo latino "focus", quindi significa falò, incendio.
Fascina: fascio di legna di piccolo formato legato insieme.
Catasta: mucchio di oggetti messi uno sopra all'altro.

◆ **Questionario**

1) Dove si trova Novoli?
2) Perché gli uomini soffrivano sempre il freddo?
3) Perché alcuni uomini andarono da S. Antonio?
4) Che cosa fece Antonio per aiutare gli uomini?
5) Perché Antonio pensava di entrare facilmente all'inferno?
6) Quando la "focura" è finita che cosa fanno molti prima di tornare a casa?

◆ **Scelta multipla**

1) Il fuoco era

    a) sconosciuto
    b) noto
    c) poco usato

2) Antonio era un

    a) eremita
    b) eroe
    c) santo

3) Antonio potè entrare all'inferno per

    a) scaldarsi
    b) riprendere il maialino
    c) parlare con il capo dei diavoli

4) La catasta ha la forma di

    a) un cono
    b) un cono rovesciato
    c) una piramide

5) La luce del falò è visibile a

    a) 50 chilometri
    b) molti chilometri
    c) qualche chilometro

6) Vengono utilizzate oltre

    a) cinquemila fascine
    b) cinquantamila fascine
    c) cinquecentomila fascine

◆ **Indicare se sono sinonimi o contrari**

		S	C
Inscindibile	inseparabile	❏	❏
Riscaldare	raffreddare	❏	❏
Ricorrenza	festa	❏	❏
Soffrire	gioire	❏	❏
Grotta	caverna	❏	❏
Proibire	consentire	❏	❏
Scorrazzare	correre	❏	❏
Provocare	impedire	❏	❏
Confusione	ordine	❏	❏
Permanenza	soggiorno	❏	❏
Patrono	protettore	❏	❏
Catasta	mucchio	❏	❏

◆ **Trovare per ogni nome delle qualificazioni adatte**

Fuoco, freddo, ingresso, luce, notte, riscaldamento.
(Es. riscaldamento: *elettrico, centrale, autonomo..*)

◆ **Formare una famiglia di parole**

Accendere, grande, cenere, freddo.
(Es. freddo: *raffreddore, raffreddare, freddare, raffreddamento, infreddolito...*)

◆ **Formare il plurale**

L'uomo	gli uomini
L'uso	
L'aiuto	
L'eremita	
La quantità	
La difficoltà	
L'arancio	
L'arancia	
Lo spettacolo	

◆ Completare con le preposizioni

Alcune settimane prima ... festa molti volontari cominciano ... procurare le fascine necessarie ... formare una catasta ... forma ... cono rovesciato; ogni anno vengono utilizzate oltre cinquantamila fascine.

... cima viene sistemato un ramo ... arancio e una statua che raffigura il santo.

La sera ... 16, dopo una giornata dedicata ... funzioni religiose, si accende la catasta secondo la tradizione le fiamme devono essere alte come il Duomo ... Novoli.

È uno spettacolo affascinante: la luce ... falò è visibile ... molti chilometri ... distanza.

Tutt'intorno centinaia ... persone danzano e cantano.

Quando ... notte fonda la legna è completamente consumata, ognuno torna a casa portando ... sè un pezzo di legno acceso e un pò ... cenere, perché si pensa che proteggano la casa ... malocchio e ... disgrazie.

Il 17 gennaio la festa si conclude ... la sagra ... maiale.

◆ Per la creatività e per la verifica

- Completare delle frasi del testo con parole proprie
- Rimettere in ordine logico le parti, date in disordine, di una frase
- Rimettere in ordine logico le frasi, date in disordine, del testo
- Fare una sintesi orale e scritta del testo
- Raccontare vicende analoghe (in forma scritta e orale)
- Trovare musiche, canzoni, immagini relative al testo
- Fare una ricerca storica sull'argomento

MARINATA ALLA PUGLIESE
(Dosi per sei persone)

gr. 1200 di pesce misto (seppie, na-
sello, scorfano, triglie o altro)
2 spicchi d'aglio
3 cucchiai di olio
succo di mezzo limone
finocchio selvatico
un pò di prezzemolo
sale e pepe

Pulire i pesci e tagliarli a pezzi. In un tegame fare rosolare gli spicchi d'aglio con l'olio, unire i pezzi di pesci e far insaporire; quindi salare, pepare, aggiungere il succo di limone e due bicchieri d'acqua.
Continuare la cottura per trenta minuti circa, aggiungere quindi il prezzemolo ed il finocchio selvatico tritati finemente. Servire ben caldo con fette di pane tostato.
Vino consigliato: Rosato di Nardò.

Calabria

È una regione di straordinaria e selvaggia bellezza: è ricca di fittissimi boschi dove crescono diverse piante rare e vivono molti animali selvatici.

Ai turisti in continuo aumento la Calabria offre lungo la costa un clima caldo, tipicamente mediterraneo; a pochi chilometri un fresco clima di montagna.

Ovunque è possibile gustare una cucina robusta e piccante, accompagnata da vini famosi fin dall'antichità: oltre duemila anni fa, infatti, gli atleti festeggiavano le vittorie ai giochi olimpici brindando con il Cirò rosso.

La cucina è stata esportata in molti paesi da circa un milione di calabresi che sono emigrati alla fine della seconda guerra mondiale.

Il rito dei *Vattienti*

La Calabria è famosa per le sue splendide feste tradizionali, in particolare per quelle di argomento religioso che si svolgono nella settimana che precede la Pasqua.

Una di queste si celebra a Nocera Terinese, cittadina conosciuta per la forza e il coraggio che i suoi uomini hanno sempre manifestato nell'affrontare i pericoli e nel sopportare il dolore.

Per questo i Vattienti sono i protagonisti della processione del sabato, che è il momento più importante di una serie di riti e di celebrazioni distribuiti durante tutta la settimana.

Una grande folla, pregando e cantando, segue una croce e una statua della Madonna che regge sulle ginocchia il Cristo morto.

Contemporaneamente per il paese girano gruppi di Vattienti che in segno di penitenza si *flagellano* a sangue.

Indossano una maglietta nera e un paio di pantaloni corti dello stesso colore; in testa hanno un grande fazzoletto di colore scuro su cui è sistemata una corona di spine.

Ogni Vattiente è legato con una corda ad un compagno chiamato "*Ecce homo*"; questo è a petto nudo e porta un panno rosso attorno alla vita che lo copre fino ai piedi; in testa ha anche lui una corona di spine. Ambedue sono *scalzi*.

Il Vattiente ha in mano una rosa e una piccola frusta a cui sono attaccati tanti piccoli pezzi di vetro; si colpisce le gambe con questa e poi con la rosa bagnata del suo sangue tinge di rosso il petto dell'Ecce homo.

Alcune persone li seguono e ogni tanto versano un pò di vino sulle ferite del Vattiente per non farle *rimarginare* subito.

Nelle strade del paese le macchie di sangue e l'odore del vino restano a lungo e nessuno pensa a cancellarle: ci penseranno il tempo o un'abbondante pioggia.

Vattiente: vocabolo dialettale; indica una persona che si colpisce il corpo in segno di penitenza fino a sanguinare.
Flagellarsi: picchiarsi, battersi per fare penitenza.
Ecce homo: immagine di Cristo sanguinante e coronato di spine.
Scalzo: senza calzini e scarpe.
Rimarginare: indica il chiudersi di una ferita.

◆ **Questionario**

1) Dove si trova Nocera Terinese?
2) Chi sono i vattienti?
3) Perchè è famosa Nocera Terinese?
4) Come è vestito l'Ecce homo?
5) Come è vestito il vattiente?
6) A che cosa serve il vino?

◆ **Scelta multipla**

1) Il rito dei vattienti si svolge

    a) il giorno di Pasqua
    b) il sabato che precede la Pasqua
    c) il sabato che segue la Pasqu

2) I vattienti si colpiscono con una

    a) frusta
    b) rosa
    c) corona di spine

3) Il vino viene usato per

    a) lavare le macchie di sangue
    b) mantenere aperte le ferite
    c) dissetare il vattiente

◆ **Trovare delle espressioni che contengano le seguenti parole**

Pasqua, croce, statua, corda, testa, sangue, petto.
(Es. petto: *mettersi una mano sul petto; prendere qualcuno di petto; Do di petto; giacca a doppio petto...*)

◆ **Trovare almeno un sinonimo**

Coraggioso   temerario
Stesso
Colpire
Conosciuto/a
Abbondante

◆ **Collegare i contrari**

Precedere   staccare
Conoscere   stingere
Incoraggiare   asciugare
Legare   scoprire
Coprire   ignorare
Attaccare   impaurire
Bagnare   sciogliere
Tingere   seguire

◆ **Trovare per ogni nome delle qualificazioni adatte**

Colore, rosa, vetro, macchia, pioggia, pericolo.
(Es. pericolo: *grave, imminente, immaginario, serio...*)

◆ **Formare il plurale**

La serie   le serie
Il protagonista
La croce
Il ginocchio
La pioggia
La provincia

◆ Formare una famiglia di parole

Sopportare, sangue, colore, paese, sapore, pericolo.
(Es. pericolo: *pericoloso, pericolante, spericolato, pericolosità...*)

◆ Formare il diminutivo

Città   cittadina
Pantalone
Fazzoletto
Pioggia
Uomo
Dolore
Paese
Gruppo
Piede
Strada

◆ Completare con le preposizioni

La Calabria è famosa ... le sue splendide feste tradizionali, ... particolare ...quelle ... argomento religioso che si svolgono ... settimana che precede la Pasqua.
Una ... queste si celebra ... Nocera Terinese, ... provincia ... Catanzaro, cittadina conosciuta ... la forza e il coraggio che i suoi uomini hanno sempre manifestato ... affrontare i pericoli e ... sopportare il dolore.
... questo i vattienti sono i protagonisti ... processione ... sabato, che è il momento più important ... una serie ... riti e ... celebrazioni distribuiti durante tutta la settimana.

◆ Per la creatività e per la verifica

• Completare delle frasi del testo con parole proprie
• Rimettere in ordine logico le parti, date in disordine, di una frase
• Rimettere in ordine logico le frasi, date in disordine, del testo
• Fare una sintesi orale e scritta del testo
• Raccontare vicende analoghe (in forma scritta e orale)
• Trovare musiche, canzoni, immagini relative al testo
• Fare una ricerca storica sull'argomento

RICETTA TIPICA

LICURDIA
(ZUPPA DI CIPOLLA
E PANE)

2 o 3 cipolle rosse
fettine di pane abbrustolito
2 peperoncini rossi piccanti
strutto*
sale

Pulire le cipolle; affettarle sottili; cuocerle nello strutto aggiungendo ogni tanto acqua calda e, verso la fine della cottura, anche i peperoncini spezzettati. Versare sul pane già messo nei piatti. Vino consigliato: Greco di Gerace.

Strutto: grasso di maiale macinato.

Sicilia

Prende il nome dai Siculi, uno dei tanti popoli che abitavano l'isola in tempi remoti.

È stata punto d'incontro di numerosissime civiltà: Fenici, Greci, Cartaginesi, Romani, Bizantini, Arabi, Normanni, Svevi e Borboni hanno lasciato numerose testimonianze nell'architettura, nella lingua e nel costume.

La Sicilia offre ai numerosissimi visitatori la possibilità di ammirare tante bellezze artistiche e paesaggi splendidi, soprattutto lungo la costa.

È l'isola più grande del Mediterraneo.

Il *papiro* a Siracusa

La prima forma di scrittura nacque in Mesopotamia, pressappoco l'odierno Iraq, ed era eseguita su tavolette d'*argilla*; successivamente, circa tremila anni prima di Cristo, gli Egizi scoprirono che dalle piante di papiro che crescevano lungo il Nilo si poteva ricavare una carta bianca, leggera e molto adatta per realizzare documenti importanti e testi sacri.

Essa arrivò in Italia grazie ai Fenici che abitavano l'attuale Libano ed avevano il proprio centro culturale nella città di Byblos, da cui forse deriva la parola biblioteca; secondo un'altra leggenda, invece, *byblos* era semplicemente l'antico nome del papiro.

La carta di papiro fu usata dai grandi scrittori greci e latini, ed ebbe una notevole importanza nello sviluppo della civiltà occidentale.

Una delle testimonianze più antiche sul suo uso è il disegno di un *airone* dagli stupendi colori, realizzato circa 3350 anni fa, e conservato nel museo del papiro di Siracusa, in Sicilia. Questa città, fondata da navigatori greci più di 3000 anni fa, è sempre stata crocevia di tutte le grandi civiltà del Mediterraneo, e svolgeva anche un ruolo importantissimo nella fabbricazione e diffusione della carta: era infatti, insieme all'Egitto, uno dei centri più noti del mondo antico in questo genere di attività. Oggi il museo è tra i più importanti al mondo, e ci lavorano espertissimi papirologi contattati spesso dal governo egiziano per restaurare i papiri conservati nel museo del Cairo.

Il papiro, con il passare del tempo, si è così profondamente associato all'idea di scrittura che il suo nome significa ancora oggi carta in molte lingue europee: "papier" in francese, "paper" in inglese, "papier" in tedesco.

Dimenticato per secoli, in quanto la carta venne poi prodotta con altri tipi di vegetali e con stracci, è stato riscoperto nel Settecento: cresceva ancora lungo le rive del Ciane, un piccolo fiume vicino a Siracusa.

Sempre nel Settecento, grazie alle indicazioni contenute nell'opera dello scrittore latino Plinio il vecchio, si riuscì a ricostruire il processo di fabbricazione della carta dal papiro; purtroppo non si trattava però di quello originale, che andò perduto quando l'Egitto fu conquistato dai greci di Alessandro Magno, ma di quello usato nel mondo greco-romano, di qualità inferiore: infatti i papiri antichi si sono conservati molto meglio di quelli realizzati nel Settecento e nell'Ottocento.

Papiro: pianta dalla quale gli antichi egiziani ricavavano fogli per scrivere.
Argilla: materiale usato dagli antichi popoli mesopotamici per costruire tavolette usate per la scrittura.
Airone: uccello acquatico.

◆ **Questionario**

1) Che cosa scoprirono gli Egiziani?
2) Perché la città di Siracusa era importante?
3) Quale incarico hanno avuto i papirologi di Siracusa?
4) Perché non è stato più usato il papiro per la fabbricazione della carta?
5) Che cosa è successo di importante nel Settecento?
6) Quali indicazioni hanno dato le opere di Plinio?

◆ **Vero o falso?**

	V	F
1) La Mesopotamia corrisponde all'odierno Iraq.	❑	❑
2) La pianta di papiro cresceva lungo le sponde del fiume Tigri.	❑	❑
3) I Fenici furono i primi abitatori dell'Egitto.	❑	❑
4) A Siracusa c'è il Museo del papiro.	❑	❑
5) La pianta di papiro cresce anche in Sicilia.	❑	❑
6) Alessandro Magno conquistò l'Egitto.	❑	❑

◆ **Trovare delle espressioni che contengano le seguenti parole:**

Parola, carta, pianta, nome, fiume.
(Es. fiume: *un fiume di parole; versare fiumi di lacrime, di sangue, di inchiostro; processo-fiume; seduta-fiume; romanzo-fiume...*)

◆ **Indicare se sono sinonimi o contrari**

		S	C
Pressappoco	circa	❏	❏
Attuale	antiquato	❏	❏
Successivamente	precedentemente	❏	❏
Testo	libro	❏	❏
Fondare	sopprimere	❏	❏
Genere	tipo	❏	❏
Restaurare	rovinare	❏	❏
Produrre	fare	❏	❏
Indicazione	informazione	❏	❏

◆ **Trovare per ogni nome delle qualificazioni adatte**

Museo, documento, testo, parola, centro, scrittura.
(Es. scrittura: *leggibile, illeggibile, indecifrabile, a mano, a macchina...*)

◆ **Formare una famiglia di parole**

Carta, bianco, scrittore, leggero.
(Es. leggero: *leggerezza, leggermente...*)

◆ **Con l'aiuto del dizionario, trovare il significato dei seguenti vocaboli che hanno "teca" come secondo elemento:**

Biblioteca : _____
Emoteca : _____
Enoteca : _____
Paninoteca : _____
Videoteca : _____
Cineteca : _____
Discoteca : _____
Emeroteca : _____
Ludoteca : _____
Infoteca : _____

Questa città, fondata ... navigatori greci più ... 3000 anni fa, è sempre stata crocevia ... tutte le grandi civiltà ... Mediterraneo, e svolgeva anche un ruolo importantissimo ... fabbricazione e diffusione ... carta: era infatti, insieme ...Egitto, uno ... centri più noti ... mondo antico ... questo genere ... attività.

Oggi il museo è ... i più importanti ... mondo, e ci lavorano espertissimi papirologi incaricati ... governo egiziano ... restaurare i papiri conservati ... Museo ... Cairo.

Il papiro, ... il passare ... tempo, si è così profondamente associato ...idea ...scrittura che il suo nome significa ancora oggi carta ... molte lingue europee; "papier" ... francese, "paper" ... inglese, "papier" ... tedesco.

◆ **Per la creatività e per la verifica**

- Completare delle frasi del testo con parole proprie
- Rimettere in ordine logico le parti, date in disordine, di una frase
- Rimettere in ordine logico le frasi, date in disordine, del testo
- Fare una sintesi orale e scritta del testo
- Raccontare vicende analoghe (in forma scritta e orale)
- Trovare musiche, canzoni, immagini relative al testo
- Fare una ricerca storica sull'argomento

La *mattanza*

La mattanza è la pesca tradizionale dei tonni in Sicilia; è uno spettacolo violento, ricco di emozioni, indimenticabile.

Nel corso dei secoli ha affascinato moltissimi scrittori, poeti e cronisti non solo italiani, ma anche europei: un viaggio in Italia per ammirare le numerosissime bellezze artistiche, per gustare dei buoni piatti e per conoscere tradizioni così particolari come la mattanza era un'esperienza assolutamente necessaria.

Nei loro diari si trovano espressioni piene di meraviglia ed ammirazione per questo modo particolare di pescare.

Nella tradizione più antica vi partecipavano un grande numero di barche con tanti marinai armati di *arpioni* e coltelli; arrivati in mare aperto circondavano qualche grosso *branco* di tonni, li agganciavano con gli arpioni e li tiravano a forza sulle barche, dove li uccidevano con dei lunghi coltelli.

Era un'operazione molto pericolosa, poichè i pesci si difendevano disperatamente, e se un marinaio perdeva l'equilibrio e cadeva in mare, aveva poche possibilità di salvarsi.

Le urla degli uomini, il rumore dei tonni, i movimenti *frenetici* dei pesci e dei pescatori e l'acqua rossa di sangue esercitavano un fascino irresistibile anche sul re Ferdinando di Borbone (1751-1825) e sulla regina Maria Carolina, che infatti vollero assistere più di una volta.

Oggi la mattanza è meno pericolosa per i marinai, ma ugualmente spettacolare: i tonni sono spinti in uno spazio chiuso da reti che si chiama "camera della morte".

Dopo la mattanza, che fa diventare rossa l'acqua del mare, i pesci vengono portati nelle tonnare, cioè negli stabilimenti in cui sono puliti, spellati e tagliati a pezzi; la carne è quindi messa sotto sale per garantirne la conservazione fino alla vendita.

La pesca del tonno è caratteristica della cultura mediterranea da migliaia di anni, infatti ne parla anche Omero nell'Odissea, ma le tonnare, soprattutto quelle di Trapani e Palermo, vissero il loro momento più importante quando la Sicilia era sotto la dominazione araba che, iniziata nell'827 e durata più di due secoli, influenzò sensibilmente l'architettura, l'agricoltura e le usanze della Sicilia: anche il dialetto è ancora oggi ricco di parole di origine araba.

Mattanza: uccisione; deriva dal verbo *matar*=uccidere.
Arpione: strumento formato da un'asta con punta di ferro usato per colpire grossi pesci.
Branco: gruppo di animali della stessa specie.
Frenetico: senza sosta.

Purtroppo, a causa dei sistemi sempre più *sofisticati* di pesca, di lavorazione e di commercializzazione del pesce, delle centinaia di tonnare esistenti nel Settecento in Sicilia ne sono rimaste soltanto due, per la gioia dei turisti e degli appassionati delle tradizioni.

◆ **Questionario**

---

1) Perché la mattanza antica era molto pericolosa?
2) A che cosa serve la "camera della morte"?
3) Che cosa sono le tonnare?
4) Quali conseguenze ha avuto la dominazione araba in Sicilia?
5) Perché le tonnare sono quasi scomparse?
6) Quali erano le più famose?

◆ **Vero o falso?**

	V	F
1) La mattanza è una festa tradizionale siciliana.	❑	❑
2) La mattanza tradizionale era molto pericolosa.	❑	❑
3) Oggi la mattanza è poco spettacolare.	❑	❑
4) I pesci vengono spinti nella "camera della morte".	❑	❑
5) I pesci vivono nelle tonnare.	❑	❑
6) La dominazione araba in Sicilia è durata più di 200 anni.	❑	❑
7) Oggi le tonnare non esistono più.	❑	❑

◆ **Trovare delle espressioni che contengano le seguenti parole:**

Coltello, pesce, rete.
(Es. rete: *cadere nella rete; prendere qualcuno nella rete, fare rete...*)

Sistemi sofisticati: ad alta perfezione tecnologica.

◆ **Indicare se sono sinonimi o contrari**

		S	C
Ammirare	criticare	❑	❑
Effettuare	compiere	❑	❑
Difendere	proteggere	❑	❑
Urlare	gridare	❑	❑
Rumore	baccano	❑	❑
Spingere	tirare	❑	❑
Mettere	togliere	❑	❑

◆ **Trovare per ogni nome delle qualificazioni adatte**

Mare, barca, movimento, spazio, pericolo, spettacolo.
(Es. spettacolo: *divertente, interessante, noioso, commovente, deludente...*)

◆ **Formare una famiglia di parole**

Pesca, emozione, meraviglia, mare, appassionato.
(Es. appassionato: *passione, appassionante, appassionatamente, passionale...*)

◆ **Trovare dei nomi riferibili ai seguenti aggettivi**

Violento, ricco, necessario, pericoloso, importante, sofisticato/a.
(Es. sofisticato/a: *impianto, sistema, attrezzatura, maniera, donna...*)

◆ Formare il plurale

Lo spettacolo   gli spettacoli
L'emozione
Il cronista
L'espressione
L'arpione
Il branco
L'operazione
L'equilibrio
La possibilità
Lo spazio

◆ Completare con le preposizioni

La pesca ... tonno è caratteristica ... cultura mediterranea ... migliaia ... anni, infatti ne parla anche Omero ... Odissea, ma le tonnare, soprattutto quelle ... Trapani e Palermo, vissero il loro momento più importante quando la Sicilia era sotto la dominazione araba che, iniziata ...827 e durata più ... due secoli, influenzò sensibilmente l'architettura, l'agricoltura e le usanze ... Sicilia: anche il dialetto è ancora oggi ricco ... parole ... origine araba.

Purtroppo, ... causa ... sistemi sempre più sofisticati ... pesca, ... lavorazione e ... commercializzazione ... pesce, ... centinaia ... tonnare esistenti ... Settecento ... Sicilia ne sono rimaste soltanto due, ... la gioia ... turisti e ... appassionati ... tradizioni.

◆ Per la creatività e per la verifica

• Completare delle frasi del testo con parole proprie
• Rimettere in ordine logico le parti, date in disordine, di una frase
• Rimettere in ordine logico le frasi, date in disordine, del testo
• Fare una sintesi orale e scritta del testo
• Raccontare vicende analoghe (in forma scritta e orale)
• Trovare musiche, canzoni, immagini relative al testo
• Fare una ricerca storica sull'argomento

RICETTA TIPICA

PESCE SPADA CON LA SALSA ALLA SICILIANA

kg. 1/2 di pesce spada a fette
una manciata di prezzemolo tritato*
una cucchiaiata di origano
6 cucchiai di olio di oliva
2 cucchiai di acqua
1 spicchio d'aglio
il succo di 2 limoni
sale e pepe

Arrostire le fette di pesce spada alla brace. Intanto preparare la salsa con il prezzemolo e l'origano mescolati con l'acqua, il succo di limone, l'aglio schiacciato, il sale e il pepe.
La salsa ottenuta deve essere cotta a bagnomaria, cioè immergendo la pentola dentro un'altra che contiene acqua molto calda.
Servire il pesce spada con la salsa calda. Vino consigliato: vino bianco dell'Etna.

Tritare: ibidem p. 42.

Sardegna

I Sardi, da cui prende il nome la regione, furono fra i più antichi abitatori della Sardegna.

È la seconda isola del Mediterraneo per estensione.

Dopo la fine dell'Impero Romano (sec. V d.C.) le coste vennero attaccate e devastate dai pirati, i villaggi furono abbandonati e gli abitanti scapparono, rifugiandosi nelle zone interne dove iniziarono a dedicarsi alla pastorizia che continua ad un settore importante dell'economia sarda.

Lungo le coste, il mare pulito e gli splendidi paesaggi attirano ogni anno tantissimi turisti.

Il carnevale di Mamoiada

A Mamoiada, paesino della Barbagia, zona di antiche tradizioni pastorali, il carnevale ha motivazioni e tempi diversi rispetto alle altre regioni italiane: si svolge quattro volte l'anno: il 17 gennaio per ricordare un'antica divinità pagana rappresentante il fuoco; il secondo appuntamento è per l'ultima domenica di carnevale, il terzo è per il martedì grasso, ultimo giorno di carnevale, ed il quarto il 27 settembre, per la festa di S. Cosma.

Alla rappresentazione partecipano venti persone, scelte dagli anziani del paese, divise in due gruppi: i Mamuthones e gli Issocadores; un'antica tradizione vuole che chi ha fatto parte di un gruppo non può mai entrare nell'altro. Gli otto Mamuthones camminano lentamente a testa bassa, con il volto coperto da una maschera di legno dipinta di nero; indossano gli abiti tradizionali dei pastori, ma la loro giacca, di pelle di pecora nera, è rovesciata, e ad essa sono attaccati trenta o quaranta *campanacci* di varie dimensioni: i più piccoli sono in bronzo, per rendere il suono più potente, mentre i più grandi sono di ferro, come quelli che si mettono al collo delle pecore.

Gli Issocadores, invece, indossano una camicia di tela bianca ed un *corpetto* rosso di taglio femminile, i pantaloni bianchi, sostenuti in vita da una cintura rossa, ed il tipico *berretto* sardo legato al mento da alcuni *nastrini*.

Il nome Mamuthones ha un'origine incerta: potrebbe derivare da Maimome o Mammone, il nome di un demonio, o dall'antico nome di Mamoiada: Mamnione. Il nome degli Issocadores, invece, deriva da "sa soca", che in lingua sarda è la corda di fibre vegetali con cui tenevano legati i *polsi* dei nemici.

Il gruppo degli Issocadores circonda i Mamuthones, e tutti insieme percorrono più volte le strade del paese: tre passi veloci ed una sosta, e poi ancora, mentre i campanacci dei Mamuthones rompono il silenzio e creano un'atmosfera irreale. Ogni tanto, per diminuire la tensione, uno degli Issocadores *cattura* con la soca qualche spettatore; questo gesto è sempre accolto dall'applauso del pubblico. Esistono due teorie per spiegare l'origine di questa rappresentazione: secondo la prima si vuole ricordare una battaglia in cui i Sardi sconfissero i Mori, cioè i guerrieri musulmani; i prigionieri vennero fatti sfilare per le vie del paese;

Campanaccio: piccola campana appesa al collo degli animali da pascolo.
Corpetto: panciotto, gilet; indumento senza maniche che si mette sopra la camicia.
Berretto: cappello.
Nastrino: parte di tessuto lunga, stretta e sottile.
Polso: parte del corpo umano compresa fra mano ed avambraccio.
Catturare: fare prigioniero qualcuno.

tra di loro c'erano quattro importanti personaggi che ancora oggi sono raffigurati nella bandiera sarda, con gli occhi *bendati*.

La seconda teoria, invece, riconduce la rappresentazione all'antica civiltà nuragica (i nuraghi, o nuraghe, erano le tipiche abitazioni in pietra dell'antica civiltà sarda): i Mamuthones erano otto infelici abitanti del paese scelti per essere sacrificati a una divinità pagana per *placare* la sua ira, altrimenti avrebbe distrutto il paese.

◆ **Questionario**

---

1) Perché il carnevale di Mamoiada si differenzia dagli altri?
2) Perché i Mamuthones e gli Issocadores hanno questo nome?
3) Che origine ha questa rappresentazione?
4) Come sono vestiti i Mamuthones?
5) Come sono vestiti gli Issocadores?
6) Che cosa sono i nuraghi?

◆ **Scelta multipla**

---

1) La Barbagia ha tradizioni
    a) pastorali
    b) industriali
    c) agricole

2) I Mamuthones indossano
    a) una giacca nera
    b) pantaloni bianchi
    c) un cappello rosso

3) Gli Issocadores sono
    a) in numero uguale ai Mamuthones
    b) più numerosi dei Mamuthones
    c) in numero inferiore ai Mamuthones

4) L'antico nome di Mamoiada era
    a) Mamnione
    b) Mammone
    c) Maimone

Bendare: coprire gli occhi.
Placare: calmare, tranquillizzare.

◆ **Trovare delle espressioni che contengano le seguenti parole:**

Testa, pelle, polso, bandiera, fuoco.
(Es. fuoco: *prova del fuoco; il fuoco cova sotto la cenere; scherzare col fuoco; essere tra due fuochi; fuoco di paglia; avere il fuoco nelle vene; mettere la mano sul fuoco...*)

◆ **Trovare almeno un contrario**

Legato   slegato, sciolto
Lentamente
Coperto
Attaccato
Incerto
Nemico
Veloce
Irreale
Diminuire

◆ **Trovare almeno un sinonimo**

Sosta   pausa, intervallo
Anziano
Diviso
Viso
Strada
Veloce
Abitazione
Infelice
Scelto
Placare

◆ **Trovare per ogni nome delle qualificazioni adatte**

Anno, rappresentazione, gruppo, abito, strada, atmosfera.
(Es. atmosfera: *tranquilla, irreale, ostile...*)

◆ **Formare una famiglia di parole**

Festa, lentamente, indossare, pubblico, rappresentante, tempo.
(Es. tempo: *attempato, temporeggiare, temporale, buontempone, tempista...*)

◆ **Ad ogni aggettivo abbinare il nome astratto corrispondente**

Antico   antichità
Lento
Potente
Veloce
Importante
Felice

◆ **Formare il plurale**

La giacca   le giacche
La divinità
La camicia
L'origine
La civiltà

Esistono due teorie ... spiegare l'origine ... questa rappresentazione: secondo la prima si vuole ricordare una battaglia ... cui i Sardi sconfissero i Mori, cioè i guerrieri musulmani; i prigionieri vennero fatti sfilare ... le vie ... paese: ... essi c'erano quattro importanti personaggi che ancora oggi sono raffigurati ... bandiera sarda, ... gli occhi bendati.

La seconda teoria, invece, riconduce la rappresentazione ... antica civiltà nuragica (i nuraghi, o nuraghe, sono le tipiche abitazioni ... pietra ... antica civiltà sarda): i Mamuthones erano otto infelici abitanti ... paese scelti ... essere sacrificati ... qualche divinità pagana ... placare la sua ira, che altrimenti avrebbe distrutto il paese.

◆ Per la creatività e per la verifica

- Completare delle frasi del testo con parole proprie
- Rimettere in ordine logico le parti, date in disordine, di una frase
- Rimettere in ordine logico le frasi, date in disordine, del testo
- Fare una sintesi orale e scritta del testo
- Raccontare vicende analoghe (in forma scritta e orale)
- Trovare musiche, canzoni, immagini relative al testo
- Fare una ricerca storica sull'argomento

La tradizione del pane decorativo in Sardegna

Il pane è un alimento tipico delle popolazioni mediterranee: nei poemi omerici (Iliade e Odissea) i popoli civilizzati, che conoscono e praticano l'arte della cottura del pane, vengono distinti da quelli rozzi e incivili, i quali sono disprezzati in quanto mangiatori di carne cruda.

In Sardegna il millenario uso ha dato al pane dei significati religiosi e sociali molto importanti: ad esempio, saperlo preparare era una abilità essenziale per la donna che voleva essere considerata una brava padrona di casa.

In occasione delle feste importanti, inoltre, nascevano vere e proprie gare per preparare il pane più buono e dalle forme più artistiche.

L'ispirazione veniva dall'*iconografia* cristiana o dalla vita contadina: per la Quaresima o per la Pasqua venivano preparati pani a forma di palma, di corona di spine, di croce; per il Capodanno, invece, erano più comuni rappresentazioni di contadini al lavoro nei campi o di pastori nell'*ovile*.

Per i bambini si preparavano dei pani a forma di galli, cavalli o agnelli, e per le bambine a forma di collane, borsette e braccialetti, utilizzando l'impasto avanzato dalle composizioni più importanti.

Una categoria speciale è quella dei pani *nuziali*, che richiedevano la farina più pregiata e mani molto esperte; le forme più diffuse erano a cuore, a corona, ad arco, a serpentina decorata con fiori. Piccoli *amuleti* a forma di occhi, cuori o mammelle, venivano preparati in occasione di feste dei Santi protettori delle varie malattie; questi pani, di dimensioni minime, venivano benedetti in chiesa nel giorno dedicato al Santo e poi distribuiti agli ammalati non come cibo, ma come portafortuna.

Ma sicuramente il tipo di pane più celebre è il cosiddetto "carasàu" o "asàdo", cioè una sfoglia sottile come carta e ridotta a strati quasi trasparenti che in particolari occasioni può anche essere variamente decorato; in italiano è detto "pane musica".

È straordinario perchè mantiene le sue qualità naturali per molto tempo; per questo ha avuto un posto importante nella alimentazione dei pastori nei lunghi periodi trascorsi sulle montagne lontano da casa.

Latte, formaggio e pane carasau sono stati per generazioni il loro cibo principale.

Iconografia: insieme delle immagini sacre (Icona=immagine sacra).
Ovile: stalla, ricovero per pecore.
Pane nuziale: pane per le nozze, per il matrimonio.
Amuleto: oggetto ritenuto capace di proteggere dal male, dalle disgrazie.

1) Quali sono i poemi omerici?
2) Che tipo di pane si preparava per Capodanno?
3) Che caratteristiche avevano i pani nuziali?
4) Che cosa veniva dato agli ammalati il giorno della festa del Santo protettore?
5) Quale era il cibo principale dei pastori? Perché?

◆ Scelta multipla

1) I popoli mangiatori di carne cruda erano considerati	a) incivili b) civili c) coraggiosi
2) Il pane a forma di amuleto viene fatto per	a) la festa del Santo protettore b) la Pasqua c) il Natale
3) A Capodanno per i bambini si cuocevano pani a forma di	a) gallo b) fiore c) uccello
4) Il "pane musica" mantiene le sue qualità per	a) pochi giorni b) una settimana c) molto tempo

◆ Trovare delle espressioni che contengano le seguenti parole:

Pane, croce, gallo, cavallo, cuore, mano, spine.
(Es. spine: *stare sulle spine; avere una spina nel cuore; non c'è rosa senza spine; a spina di pesce...*)

◆ **Indicare se sono sinonimi o contrari**

		S	C
Rozzo	fine	☐	☐
Gradevole	piacevole	☐	☐
Trasparente	opaco	☐	☐
Omogeneo	eterogeneo	☐	☐
Alimento	cibo	☐	☐
Denso	rado	☐	☐

◆ **Trovare per ogni nome delle qualificazioni adatte**

Casa, festa, occasione, strato.
(Es. strato: *sottile, spesso, denso, omogeneo...*)

◆ **Formare una famiglia di parole**

Alimento, padrona, esperto, lontano, mano, carta.
(Es. carta: *cartolaio, cartiera, cartoleria, incartare, scartare...*)

◆ **Trovare il verbo derivato dal nome**

Cottura   cuocere
Gara
Protezione
Composizione
Diffusione
Distribuzione
Disprezzo
Preparazione

Il pane è un alimento tipico ... popoli ... Mediterraneo: ... poemi omerici i popoli civilizzati, che conoscono e praticano l'arte ... cottura ... pane, vengono distinti ... quelli rozzi e incivili, disprezzati ... quanto "mangiatori ... carne cruda".

... Sardegna il millenario uso ha dato ... pane ... significati religiosi e sociali molto importanti: ... esempio, saperlo preparare era una abilità essenziale ... la donna che voleva essere considerata una brava padrona ... casa.

... occasione ... feste più importanti, inoltre, nascevano vere e proprie gare ...preparare il pane più buono e anche più artistico.

L'ispirazione veniva ... iconografia cristiana o ... vita contadina: ... la Quaresima o ... la Pasqua venivano preparati pani ... forma ... palma, ... corona ...spine, ... croce; ... il Capodanno, invece, erano più comuni rappresentazioni ...contadini ... lavoro ... campi o ... pastori ... ovile.

... i bambini si preparavano ... pani ... forma ... galli, cavalli o agnelli, e ... le bambine ... forma ... collane, borsette e braccialetti, utilizzando l'impasto avanzato ... composizioni più importanti.

◆ **Per la creatività e per la verifica**

- Completare delle frasi del testo con parole proprie
- Rimettere in ordine logico le parti, date in disordine, di una frase
- Rimettere in ordine logico le frasi, date in disordine, del testo
- Fare una sintesi orale e scritta del testo
- Raccontare vicende analoghe (in forma scritta e orale)
- Trovare musiche, canzoni, immagini relative al testo
- Fare una ricerca storica sull'argomento

La Sartiglia di Oristano

I Sardi antichi dicevano che l'uomo coraggioso si vede a cavallo; infatti l'abilità, il coraggio, la destrezza nel cavalcare erano qualità necessarie per avere rispetto ed ammirazione dalla gente.

I cavalieri avevano un importante ruolo sociale, ed il sogno di ogni ragazzo era quello di diventare un abile cavaliere.

Numerose rievocazioni storiche ricordano questo aspetto della Sardegna antica: una di esse è il Carnevale di Oristano, durante il quale si corre la Sartiglia, testimoniata fin dal XIII secolo. Sartiglia deriva dallo spagnolo "sortija", che a sua volta deriva dal latino "sorticula".

Con questo vocabolo si indica un piccolo anello di metallo da cui prende il nome la popolare manifestazione.

La festa comincia il pomeriggio dell'ultima domenica di carnevale con la vestizione del Componidori, così si chiama il cavaliere protagonista della sartiglia.

Questo compito è affidato tradizionalmente a due ragazze e ad una donna anziana; nessun altro può essere presente.

L'abbigliamento del giovane è davvero originale: indossa pantaloni e stivali tipicamente maschili e una camicia bianca di taglio femminile ornata con nastrini colorati; il volto è nascosto da una maschera da donna, mentre sulla testa ha un velo da sposa e un cappello nero a forma di cilindro.

Accompagnato da una folla festante, dal suono delle campane e dalle *launeddas*, si reca nel punto della città dove si svolge la giostra.

Al rullo dei tamburi lancia il cavallo al galoppo e cerca di infilare la punta della spada nella sartiglia, appesa ad un filo al centro della pista.

Secondo un'antica credenza, dalla bravura del Componidori dipendeva la produzione agricola dell'anno successivo, quindi il cavaliere sentiva su di sè una grande responsabilità: se avesse sbagliato ci sarebbero state conseguenze negative per la sua fama di cavaliere e per tutta la comunità.

Oggi è soltanto una rievocazione e nessuno collega il risultato della sartiglia alla prosperità economica, però anche i moderni cavalieri ci tengono a fare bella figura e si preparano con molta cura.

Al tramonto la folla in corteo accompagna il Componidori alla svestizione che avviene in segretezza come la vestizione: il protagonista della sartiglia deve restare nel più assoluto anonimato.

Launeddas: antichi strumenti musicali a fiato sardi, simili a piccole trombe con tre canne.

1) Che cosa è la Sartiglia?
2) Da quanto tempo esiste?
3) Chi è il Componidori?
4) Perché l'abbigliamento del Componidori è originale?
5) Che relazione c'era, un tempo, fra la Sartiglia e l'economia della zona?
6) Come avveniva la vestizione del Componidori?

◆ **Scelta multipla**

1) Sartiglia vuol dire
   a) anello
   b) giostra
   c) carnevale

2) Il Componidori ha un aspetto
   a) maschile
   b) femminile
   c) originale

3) La Sartiglia si svolge
   a) alla fine del carnevale
   b) a metà carnevale
   c) all'inizio del carnevale

4) La vestizione avviene
   a) in piazza
   b) in un luogo segreto
   c) dove si svolge la giostra

◆ **Trovare delle espressioni che contengano le seguenti parole:**

Cavallo, camicia, campana, testa.
(Es. testa: *abbassare la testa; sbattere la testa contro il muro; camminare a testa alta; non sapere dove sbattere la testa; fare una testa così; lavata di testa; dare alla testa...*)

◆ **Trovare almeno un sinonimo**

Evento   fatto, avvenimento, vicenda, circostanza
Prestigioso
Abile
Indossare

◆ **Trovare per ogni nome delle qualificazioni adatte**

Donna, città, anello, cavallo, abbigliamento.
(Es. abbigliamento: *leggero, pesante, alla moda, elegante, fuori moda...*)

◆ **Formare una famiglia di parole**

Cavallo, bianco, nascosto, campana, figura, anticamente.
(Es. anticamente: *antico, antichità, antiquario, antiquato, anticaglia...*)

◆ **Trovare dei nomi riferibili ai seguenti aggettivi**

Prestigioso, strano, originale, bianco, moderno, abile.
(Es. abile: *cavaliere, operaio, tecnico, collaboratore...*)

◆ **Completare con le preposizioni**

    La festa comincia il pomeriggio ... ultima domenica ... carnevale con la vestizione ... Componidori, così si chiama il cavaliere protagonista ... sartiglia.
    Questo compito è affidato tradizionalmente ... due ragazze e ...una donna anziana; nessun altro può essere presente.
    L'abbigliamento ... giovane è davvero originale: indossa pantaloni e stivali tipicamente maschili e una camicia bianca ... taglio femminile ornata ... nastrini colorati; il volto è nascosto ... una maschera ... donna, mentre ... testa ha un velo ... sposa e un cappello nero ... forma ... cilindro.

Accompagnato … una folla festante, … suono … campane e … launeddas, si reca … punto … città dove si svolge la giostra.

… rullo … tamburi lancia il cavallo … galoppo e cerca … infilare la punta …spada … un piccolo anello … sartiglia, appesa … un filo … centro …pista.

◆ **Per la creatività e per la verifica**

- Completare delle frasi del testo con parole proprie
- Rimettere in ordine logico le parti, date in disordine, di una frase
- Rimettere in ordine logico le frasi, date in disordine, del testo
- Fare una sintesi orale e scritta del testo
- Raccontare vicende analoghe (in forma scritta e orale)
- Trovare musiche, canzoni, immagini relative al testo
- Fare una ricerca storica sull'argomento

RICETTA TIPICA

ARAGOSTA IN UMIDO

2 aragoste
olio
aglio
prezzemolo
un Kg di pomodori

Versare in un tegame largo mezzo bicchere d'olio, aggiungere un trito* di aglio e prezzemolo; far cuocere per poco tempo mescolando continuamente. Tagliare a pezzetti un chilo di pomodori, dopo averli pelati ed aver tolto i semi.
Versare i pomodori nel tegame e far cuocere per quindici minuti. Immergere nel sugo ottenuto le aragoste tagliate a metà.
Cuocere per mezz'ora circa a pentola coperta. Vino consigliato: Vermentino.

Trito-tritare: ibidem p. 49.

La pasta

Nonostante le mode alimentari, il cibo più apprezzato dagli italiani è sempre la pasta.

Le regioni e, a volte, le città di una stessa regione, si differenziano per le numerose ricette, sia raffinate, sia semplici, che non solo testimoniano l'attaccamento alle tradizioni ed un profondo amore per la terra, ma rispecchiano anche gli usi alimentari dei diversi popoli e delle diverse culture che nel corso dei secoli hanno abitato la penisola: Greci, Romani, Arabi, Longobardi, Bizantini, Spagnoli, Francesi, Austriaci, Normanni hanno sicuramente lasciato il loro segno nell'arte culinaria italiana.

All'ora di pranzo milioni di persone in Italia compiono lo stesso gesto: si siedono di fronte ad un fumante piatto di spaghetti, di penne, di rigatoni, di tagliatelle, e di altre varietà di pasta; è così da secoli, anche se un tempo, nelle famiglie più tradizionali, era la nonna, la zia o la mamma che si alzava presto e con acqua, farina, un pò di sale e, qualche volta, uova, preparava la pasta in casa.

Purtroppo questa abitudine è quasi scomparsa, riservata solo a qualche giorno di festa.

La pasta ha origini antichissime: usavano qualcosa di simile alle lasagne i Greci (laganon) e i Romani (laganum); sembra poi che non sia vero che Marco Polo (1254-1324) importò i primi spaghetti dalla Cina quando tornò a Venezia nel 1295.

A confermare l'uso antico della pasta in Italia, esiste un testamento del 1282 in cui si legge che un signore genovese aveva lasciato in eredità, fra altre cose, "...*bariscella* una plena de macaronis", quindi almeno in Liguria i macaroni o maccheroni erano già conosciuti.

Fu però sicuramente nel Sud, e soprattutto a Napoli, che l'abbinamento con il pomodoro fece diventare la pasta, in particolare gli spaghetti, il cibo per eccellenza.

Inizialmente, nei quartieri popolari, si mangiavano con le mani, e solo i nobili usavano la forchetta, che con soli tre *rebbi*, però, non consentiva di portare alla bocca comodamente gli spaghetti.

Bariscella: contenitore (dialetto genovese).
Rebbi: le punte di una forchetta.

Secondo un racconto popolare il Re di Napoli Ferdinando II (1810-1859), goloso di questo tipo di pasta, chiese al maggiordomo Gennaro Spadaccini di trovare una soluzione che gli consentisse di mangiarli in tutta tranquillità; Gennaro ebbe un'idea tanto semplice quanto geniale: creò la forchetta con quattro rebbi, che oggi si usa ovunque.

◆ **Questionario**

---

1) Perché si può affermare che la pasta accomuna quasi tutti gli italiani?
2) Quali sono le varietà di pasta più famose?
3) Da quanto tempo si usa la pasta?
4) Perché il testamento ritrovato a Genova è importante?
5) Perché il re Ferdinado aveva problemi a mangiare gli spaghetti?
6) Perché Gennaro Spadaccini è famoso?

◆ **Scelta multipla**

---

1) Nella pasta fatta in casa le uova
    a) si usavano sempre
    b) non si usavano
    c) si usavano raramente

2) L'uso documentato più antico della pasta è
    a) a Genova
    b) a Napoli
    c) a Venezia

3) Il re Ferdinando non mangiava spesso gli spaghetti
    a) perché non gli piacevano
    b) perché era un cibo per poveri
    c) per motivi di etichetta

4) Gennaro Spadaccini era
    a) un maggiordomo
    b) un cuoco
    c) consigliere del re

◆ **Trovare delle espressioni che contengano le seguente parole**

Amore, pasta, pomodoro, pane, moda.
(Es. moda: *abito alla moda, fuori moda, località alla moda, tornare di moda, seguire la moda...*)

◆ **Trovare per ogni nome delle qualificazioni adatte**

Dieta, cibo, pasta, città, arte, amore.
(Es. amore: *eterno, a prima vista, cieco, grande...*)

◆ **Formare una famiglia di parole**

Popolo, arte, acqua, sole, eredità, eccellenza, mano, nobile, tranquillità.
(Es. tranquillità: *tranquillo, tranquillizzare, tranquillamente...*)

◆ **Formare il plurale**

L'uso   gli usi
L'abitudine
L'origine
L'eredità
La difficoltà
La soluzione

◆ **Completare con le preposizioni**

Nonostante le mode alimentari, il cibo più apprezzato ... italiani è sempre la pasta.
Le regioni e, ... volte, le città ... una stessa regione, si differenziano ... le numerose ricette, sia raffinate, sia semplici, ... origini contadine che non solo

testimoniano l'attaccamento ... tradizioni ed un profondo amore ... la terra, ma rispecchiano anche gli usi alimentari ... diversi popoli e ... diverse culture che ... corso ... secoli hanno abitato la penisola: Greci, Romani, Arabi, Longobardi, Bizantini, Spagnoli, Francesi, Austriaci, Normanni hanno sicuramente lasciato il loro segno ... arte culinaria italiana.

... ora ... pranzo milioni ... persone ... Italia compiono lo stesso gesto: si siedono ... fronte ... un fumante piatto ... spaghetti, ... penne, ... rigatoni, ... tagliatelle, e ... altre varietà ... pasta; è così ... secoli, anche se un tempo, ... famiglie più tradizionali, era la nonna, la zia o la mamma che si alzava presto e ... acqua, farina, un pò ... sale e, qualche volta, uova, preparava la pasta ... casa.

◆ **Per la creatività e per la verifica**

- Completare delle frasi del testo con parole proprie
- Rimettere in ordine logico le parti, date in disordine, di una frase
- Rimettere in ordine logico le frasi, date in disordine, del testo
- Fare una sintesi orale e scritta del testo
- Raccontare vicende analoghe (in forma scritta e orale)
- Trovare musiche, canzoni, immagini relative al testo
- Fare una ricerca storica sull'argomento

Il sale

Il sale è un ingrediente di largo uso, presente in ogni casa, facilmente *reperibile* e a basso costo, ma non è stato sempre così: anticamente aveva un altissimo valore economico poiché la quantità disponibile non era sufficiente a soddisfare la grande richiesta; inoltre solo i popoli più progrediti sapevano produrlo.

È un bene di consumo che ha caratterizzato la formazione e lo sviluppo delle grandi civiltà che sono sorte lungo le coste del mar Mediterraneo: gli antichi Greci ne erano così orgogliosi che consideravano barbari quelli che non lo usavano!

I Romani lo hanno valorizzato più di ogni altro popolo, tanto è vero che una delle loro più antiche e famose strade porta il nome di "via Salaria"; univa Roma al mare Adriatico attraversando l'Italia da ovest ad est e, come indica il nome, la merce che maggiormente vi transitava era il sale.

Lo usavano per condire e conservare i cibi, nella cura di molte malattie; era anche indispensabile per i riti magici e le cerimonie religiose.

Era così prezioso che per lungo tempo venne usato per pagare i militari: ancora oggi lo stipendio mensile viene chiamato, in alcuni casi, salario.

Durante il Medio Evo divenne simbolo di purezza ed incorruttibilità, quindi era odiato e temuto dal diavolo e dalle *streghe*; per questo veniva molto usato nelle pratiche *esorcistiche*.

La *superstizione* secondo la quale il sale rovesciato è portatore di male, di dolore, di inimicizia va sicuramente collegata ai significati simbolici che gli sono stati attribuiti nel corso dei secoli; ancora oggi, quando durante una cena si rovescia del sale sulla tavola, gli ospiti superstiziosi pensano che possa succedere qualche disgrazia: la tradizione vuole che l'unico rimedio sia raccogliere con la mano destra un pò del sale caduto e gettarlo dietro la spalla sinistra!

C'è una spiegazione per capire questo comportamento: il sale, una volta molto costoso, doveva essere usato con moderazione e con cura, poiché il suo acquisto incideva notevolmente sull'economia della famiglia; la superstizione era uno stimolo ad evitarne lo *spreco*.

Oggi pochissimi dicono di crederci, ma sono in molti ad usare una particolare attenzione quando c'è del sale in tavola!

Facilmente reperibile: che si può trovare con facilità.
Strega: ibidem p. 84.
Pratiche esorcistiche: riti magici per mezzo dei quali si allontanano demoni o spiriti malefici da un luogo o si scacciano da persone delle quali si sono impossessati.
Superstizione: atteggiamento non razionale che porta ad attribuire a oggetti, gesti ed eventi il potere di influenzare il futuro e la fortuna.
Spreco: consumo eccessivo di qualcosa.

Sale è anche un vocabolo presente nella comunicazione: ad esempio per dire che un oggetto è molto costoso si dice che ha un "prezzo salato"; di una persona sciocca, stupida, si dice che "ha poco sale in zucca" (testa); un linguaggio pungente, quasi offensivo, si definisce "salace"; "restare di sale", poi, significa essere sorpresi, meravigliati.

◆ **Questionario**

---

1) Che uso facevano i Romani del sale?
2) Anticamente lo usavano tutti i popoli?
3) Perché la via Salaria ha questo nome?
4) Perché il sale era molto usato nelle pratiche esorcistiche medievali?
5) Come mai il sale è così importante nella superstizione?
6) Perché il vocabolo "sale" è importante nella comunicazione?

◆ **Scelta multipla**

---

1) Anticamente
   a) c'era molta richiesta di sale e costava poco
   b) c'era molta richiesta e costava molto
   c) c'era poca richiesta e costava poco

2) La via Salaria attraversava l'Italia da
   a) est a ovest
   b) sud a est
   c) ovest a est

3) Nel Medioevo si usava il sale
   a) per pagare i militari
   b) nelle pratiche esorcistiche
   c) per tenere lontani i nemici

4) Per i superstiziosi il sale rovesciato
   a) porta fortuna
   b) porta sfortuna
   c) non ha importanza

◆ Trovare almeno un sinonimo

Progredito   avanzato, evoluto
Casa
Barbaro
Strada
Malattia
Stupido

◆ Trovare per ogni nome delle qualificazioni adatte

Popolo, strada, mare, cibo, mano, comunicazione, persona, dolore.
(Es. dolore: *forte, leggero, sopportabile, insopportabile, passeggero, acuto, insistente...*)

◆ Formare una famiglia di parole

Sale, economico, mare, ospite, destra, diavolo, nome.
(Es. nome: *nominare, cognome, soprannome, nomignolo...*)

◆ Trovare dei nomi riferibili ai seguenti aggettivi

Basso, antico, prezioso, pungente, largo.
(Es. largo: *uso, strada, passaggio, vestito...*)

◆ Formare il plurale

La quantità   le quantità
La civiltà
Il greco
Il mercoledì
Il sale
L'unico
Lo spreco

◆ **Completare con le preposizioni**

C'è una spiegazione ... capire questo comportamento: il sale, una volta molto costoso, doveva essere usato ... moderazione e ... cura, poichè il suo acquisto incideva notevolmente ... economia ... famiglia; la superstizione era uno stimolo ... evitarne lo spreco.

Oggi pochissimi dicono ... crederci, ma sono ... molti ... usare una particolare attenzione quando c'è ... sale ... tavola!

Il sale è più che mai un prodotto vitale, presente anche ... comunicazione: ... esempio ... dire che un oggetto è molto costoso si dice che ha un "prezzo salato"; ... una persona sciocca, stupida, si dice che "ha poco sale ... zucca (testa)"; un linguaggio pungente, quasi offensivo, si definisce "salace"; "restare ...sale", poi, significa essere sorpresi, meravigliati.

◆ **Per la creatività e per la verifica**

- Completare delle frasi del testo con parole proprie
- Rimettere in ordine logico le parti, date in disordine, di una frase
- Rimettere in ordine logico le frasi, date in disordine, del testo
- Fare una sintesi orale e scritta del testo
- Raccontare vicende analoghe (in forma scritta e orale)
- Trovare musiche, canzoni, immagini relative al testo
- Fare una ricerca storica sull'argomento

Il gatto nero

Se una persona, mentre sta camminando o guidando l'auto, vede un gatto nero che attraversa la strada, può continuare tranquillamente il proprio cammino o, credendo alla *superstizione* che il gatto nero porti sfortuna, tornare indietro di tre passi!

Se è in macchina aspetterà che passi qualcun altro il quale attiri così su di sè tutta l'energia negativa!

Questo genere di paura è antichissima, anche se fino al Medioevo la superstizione inizialmente non riguardava il gatto, ma la *donnola*.

Gli antichi Egiziani, Greci, Romani consideravano il gatto un animale positivo, quasi sacro, senza dare nessuna importanza al colore; durante il Medioevo, invece, è diventato simbolo del male, perchè il colore nero, l'andatura silenziosa, la capacità di vedere nel buio e la preferenza per la vita notturna, unite alle strane *modulazioni,* quasi umane, che ha la sua voce, hanno favorito l'identificazione con il diavolo e con le streghe: secondo la tradizione, infatti, queste si trasformavano in gatto nero per compiere con l'inganno le loro azioni malvagie.

Per secoli questi simpatici ma sfortunati animali, a causa di tale identificazione, hanno subìto persecuzioni e violenze di ogni genere.

In molti paesi d'Europa un gran numero di gatti venivano bruciati vivi durante la notte di S. Giovanni (24 giugno) o in altre importanti festività; nel 1864 anche il re Luigi XVI di Francia diede fuoco con le proprie mani ad un sacco pieno di gatti vivi.

La convinzione che il gatto fosse simbolo di male era quindi diffusa tanto fra le classi popolari quanto fra gli uomini di cultura e della nobiltà.

Oggi nessuno crede più alle streghe, ma fra gli italiani è ancora diffusa l'idea che è meglio non incontrare un gatto nero sulla propria strada...non si sa mai!

Superstizione: ibidem p. 225.
Donnola: mammifero lungo circa cm.20, carnivoro. Ha abitudini notturne e mangia preferibilmente galline e conigli.
Modulazione: oscillazione, variazione del tono di una voce o di una musica.

1) Cosa fa un superstizioso se un gatto nero gli attraversa la strada?
2) Che cosa pensavano del gatto gli antichi Romani?
3) Perché i popoli medievali odiavano il gatto nero?
4) Nella notte del 24 giugno cosa succedeva?
5) Il gatto nero era simbolo del Male solo per le classi popolari?
6) Che opinione hanno gli italiani del gatto nero?

◆ Scelta multipla

1) Se un gatto nero attraversa la strada un automobilista
   a) torna indietro
   b) aspetta che passi un altro
   c) maledice il gatto e prosegue

2) Gli antichi Egiziani consideravano il gatto
   a) un animale sacro
   b) un animale pericoloso
   c) un animale inutile

3) Nel Medioevo il gatto era il simbolo del male perché
   a) mangiava le donnole
   b) può vedere al buio
   c) aggrediva le persone

◆ Trovare delle espressioni che contengano le seguenti parole:

Gatto, diavolo, sacco, passo.
(Es. passo: *abitare a due passi dal centro storico, bisogna fare il passo secondo la gamba, fare i primi passi, fare quatrro passi, fare un passo indietro, a passo d'uomo, fare un passo falso...*)

◆ Trovare per ogni nome delle qualificazioni adatte

Persona, auto, strada, voce, idea.
(Es. idea: *geniale, buona, banale, innovatrice...*)

Tranquillamente, energìa, simbolo, colore, preferenza, inganno, favorito.
(Es. favorito: *favorevole, favoritismo, favore, favorire...*)

◆ **Completare con le preposizioni**

... secoli questi simpatici ma sfortunati animali, ... causa ... questa identificazione, hanno subìto persecuzioni e violenze ... ogni genere.

... molti paesi ... Europa un gran numero gatti venivano bruciati vivi
durante la notte ... S. Giovanni (24 giugno) o ... altre importanti festività; ...
1864 anche il re Luigi XVI ... Francia diede fuoco ... le proprie mani ... un
sacco pieno .. gatti vivi.

La convinzione che il gatto fosse simbolo ... male era quindi diffusa, tanto
... le classi popolari quanto ... gli uomini ... cultura e ... nobiltà.

Oggi nessuno crede più ... streghe, ma ... gli italiani è ancora diffusa l'idea
che è meglio non incontrare un gatto nero ... propria strada...non si sa mai!

◆ **Per la creatività e per la verifica**

- Completare delle frasi del testo con parole proprie
- Rimettere in ordine logico le parti, date in disordine, di una frase
- Rimettere in ordine logico le frasi, date in disordine, del testo
- Fare una sintesi orale e scritta del testo
- Raccontare vicende analoghe (in forma scritta e orale)
- Trovare musiche, canzoni, immagini relative al testo
- Fare una ricerca storica sull'argomento

Il venerdì

– "Nè di Venere nè di Marte / non ci si sposa e non si parte / nè si dà principio all'arte".

– Di una persona dal comportamento un pò strano si dice che "le manca qualche venerdì".

– "Chi ride il venerdì piange la domenica".

Questi sono soltanto alcuni dei proverbi spesso *citati* per ricordare la negatività di questo giorno.

Il venerdì è un giorno molto particolare, diverso dagli altri, ed in tutte le regioni italiane sono presenti tante credenze e tradizioni che lo testimoniano: in passato, ad esempio, molti pensavano che se l'anno iniziava di venerdì potevano succedere disgrazie e sventure di ogni genere; i bambini nati in questo giorno avrebbero avuto una vita breve e piena di dolore, difficilmente si sarebbero sposati e solo eccezionalmente avrebbero avuto dei figli.

In questo particolare giorno era sconsigliato svolgere alcune attività, come tagliarsi unghie e capelli; chi non avesse rispettato queste indicazioni avrebbe attirato su di sè energìe negative e sfortuna.

Il timore del venerdì non era diffuso solo fra le classi popolari, ma anche fra personaggi importanti della cultura e della politica: si dice, ad esempio, che Napoleone fosse molto superstizioso e non avrebbe mai iniziato una battaglia di venerdì; il musicista Gioacchino Rossini temeva moltissimo l'influenza negativa di questo giorno e del numero tredici, e morì proprio il 13 novembre 1869, di venerdì!

Per i cristiani invece è giorno di penitenza, di digiuno, di preghiera per ricordare la morte di Cristo.

Con il passare del tempo nel venerdì sono confluite e si sono sovrapposte tradizioni religiose, riti pagani e pratiche superstiziose in uno strano, *intricato sincretismo*.

Citare: riferire un proverbio o una frase famosa per sostenere, chiarire, semplificare il proprio pensiero.
Intricato sincretismo: unione di elementi culturali e religiosi molto diversi, spesso in contrasto fra di loro.

◆ Questionario

1) Perché in passato il venerdì era considerato un giorno particolare?
2) Quali attività erano sconsigliate di venerdì?
3) Quali classi sociali temevano il venerdì?
4) Il venerdì era temuto solo dalle classi popolari?
5) A quale strano destino andò incontro il superstizioso Rossini?
6) Perché per i Cristiani è un giorno importante?

◆ Vero o falso?

	V	F
1) I bambini nati il primo gennaio, di venerdì, sarebbero stati fortunati.	❏	❏
2) Di venerdì era sconsigliato tagliarsi i capelli.	❏	❏
3) Solo le classi popolari temevano il venerdì.	❏	❏
4) Napoleone non era superstizioso.	❏	❏
5) Gioacchino Rossini non credeva nell'influenza negativa del numero 13.	❏	❏
6) Per i Cristiani il venerdì è un giorno di penitenza.	❏	❏

◆ Trovare almeno un sinonimo

Strano   diverso, bizzarro, insolito
Diverso
Breve
Pieno
Energia
Sfortuna
Importante
Timore

◆ **Trovare per ogni nome delle qualificazioni adatte**

Arte, persona, giorno, vita, figlio, attività, capelli, energia, battaglia, numero, morte.
(Es. morte: *naturale, prematura, improvvisa...*)

◆ **Formare una famiglia di parole**

Arte, anno, difficilmente, musicista, dolore.
(Es. dolore: *doloroso, dolorosamente, addolorato/a, antidolorifico...*)

◆ **Completare con le preposizioni**

Il timore ... venerdì non era diffuso solo ... le classi popolari, ma anche ...personaggi importanti ... cultura e ... politica: si dice, ... esempio, che Napoleone fosse molto superstizioso e non avrebbe mai iniziato una battaglia ... venerdì; il musicista Gioacchino Rossini temeva moltissimo l'influenza negativa ... questo giorno e ... numero tredici, e morì proprio il 13 novembre 1869, ... venerdì!
... i cristiani invece è giorno ... penitenza, ... digiuno, ... preghiera ... ricordare la morte ... Cristo.
... il passare ... tempo ... venerdì sono confluite e si sono sovrapposte tradizioni religiose, riti pagani e pratiche superstiziose ... uno strano, intricato sincretismo.

◆ **Per la creatività e per la verifica**

• Completare delle frasi del testo con parole proprie
• Rimettere in ordine logico le parti, date in disordine, di una frase
• Rimettere in ordine logico le frasi, date in disordine, del testo
• Fare una sintesi orale e scritta del testo
• Raccontare vicende analoghe (in forma scritta e orale)
• Trovare musiche, canzoni, immagini relative al testo
• Fare una ricerca storica sull'argomento

L'origine dei cognomi

In Italia ci sono circa duecentocinquantamila cognomi, e ciò per gli esperti è indice di grande ricchezza culturale; l'Italia, infatti, è stata per secoli luogo di incontro di civiltà e culture diverse, ed ognuna ha lasciato interessanti testimonianze della sua presenza nell'arte, nelle tradizioni, nell'alimentazione ed anche nei cognomi!

Se ne può studiare la distribuzione geografica attraverso gli elenchi del telefono: si scopre così che quello più diffuso è Rossi, seguito da Russo, Ferrari, Esposito, Bianchi.

I primi cognomi italiani sono nati nel sec. X, quando i notai che dovevano *redigere* un atto ufficiale (una vendita o una donazione) registravano il nome della persona che vendeva e comprava, quello del padre, il luogo di residenza e, per una migliore identificazione, aggiungevano la professione o il soprannome, come, per esempio:

Valerius filius Antonii de Venetia, longus (Valerio figlio di Antonio di Venezia, alto).

Con il passare del tempo i notai scrissero uno solo di questi elementi accanto al nome, che diventò così il cognome.

Molti si riferiscono alla città di origine, per esempio Franco Trapani, Angelo Palermo; altri derivano dal nome del padre, e finiscono in *i*: Dante Alighieri, cioè figlio di Alighiero, oppure Angeli, Lorenzi, Martini, Rinaldi, Arnoldi e si trovano in gran parte al Centro-Nord.

Al Sud sono spesso preceduti da *Di* o *De*, come Di Carlo, De Pasquale; numerosi sono quelli che derivano dai soprannomi: Grassi, Storti, Sordi, Piccoli, Brutti, Gobbi, Muti, Vecchi.

Dal cognome è possibile capire il luogo di origine della famiglia; uno stesso mestiere, come quello di fabbro, ha prodotto cognomi diversi da regione a regione: Ferrari in Lombardia, Ferrario in Piemonte, Ferreri in Emilia, Fabbri in Toscana, Favero nel Veneto.

Ci sono poi cognomi di provenienza tipicamente dialettale, come Marangòn, che in dialetto veneto significa falegname, o Ruiu, che in dialetto sardo vuol dire rosso.

Altri indicano un'origine straniera, anche antichissima, come Sgrò (in greco forte), Macrì (in greco grande), Diaz e Rivera sono di origine spagnola, Gramsci albanese, Sciascia araba.

Quelli indicanti vegetali (Aglio, Cipolla, Finocchio, Melone, Zucca, Fico)

Redigere: registrare, scrivere.

provengono dai Celti o dai Germani, perchè presso quei popoli la natura e le piante avevano una grande importanza: per i Celti, ad esempio, la zucca aveva poteri magici.

Ci sono poi molti cognomi assegnati a neonati *illegittimi*: Esposito, Trovato, Degli Esposti, Innocenti, Diotallevi venivano dati, infatti, ai bambini abbandonati, accolti nei *brefotrofi*; anche Rossi veniva usato per questo scopo: ecco perchè è tanto diffuso.

Altri ancora denotano una origine ebraica, come Levi, Segre, Cohen.

Molti, infine, non amano il proprio cognome perchè lo ritengono ridicolo o addirittura offensivo, e quindi ogni anno centinaia di persone chiedono di poterlo cambiare.

Come poter dare torto a chi ha come cognome Suino, Porco, Vacca?!

◆ Questionario

1) Come mai in Italia c'è una così grande varietà di cognomi?
2) Come sono nati i cognomi?
3) Che caratteristica hanno spesso i cognomi del sud?
4) Che origine ha il cognome Zucca?
5) Come mai alcuni cognomi venivano dati nei brefotrofi?
6) Perché alcuni vogliono cambiare cognome?

◆ Vero o falso?

	V	F
1) L'Italia è stata luogo d'incontro di tante civiltà.	❑	❑
2) Il cognome più diffuso in Italia è Ferrari.	❑	❑
3) Molti cognomi si riferiscono alla città d'origine.	❑	❑
4) Rivera è un cognome di origine straniera.	❑	❑
5) Cipolla è un cognome di origine spagnola.	❑	❑
6) Alcuni vorrebbero cambiare cognome.	❑	❑

Illegittimo (figlio): tanto tempo fa, il figlio non riconosciuto legalmente da uno o da tutti e due i genitori.
Brefotrofio: istituto che ospita i neonati abbandonati.

Cultura, tradizione, alimentazione, anno, pianta.
(Es. pianta: *acquatica, ornamentale, sempreverde, esotica...*)

Esperto, ricchezza, vendere, residenza, registrare, produrre, rosso, offensivo.
(Es. offensivo: *offesa, offendere, inoffensivo...*)

La civiltà   le civiltà
L'arte
L'elenco
Il notaio
L'atto
La città
L'origine

... il passare ... tempo i notai scrissero uno solo ... questi elementi accanto ... nome, che diventò così il cognome.

Molti si riferiscono ... città ... origine, ... esempio Franco Trapani, Angelo Palermo; altri derivano ... nome ... padre, e finiscono ... "i": Dante Alighieri, cioè figlio ... Alighiero, oppure Angeli, Lorenzi, Martini, Rinaldi, Arnoldi e si trovano ... gran parte ... Centro-Nord.

... Sud sono spesso preceduti ... "Di" o "De", come Di Carlo, De Pasquale; numerosi sono quelli che derivano ... soprannomi: Grassi, Storti, Sordi, Piccoli, Brutti, Gobbi, Muti, Vecchi.

... cognome è possibile capire il luogo ... origine della famiglia; uno stesso mestiere, come quello ... fabbro, ha prodotto cognomi diversi ... regione ... regione: Ferrari ... Lombardia, Ferrario ... Piemonte, Ferreri ... Emilia, Fabbri ... Toscana, Favero ... Veneto.

◆ **Per la creatività e per la verifica**

- Completare delle frasi del testo con parole proprie
- Rimettere in ordine logico le parti, date in disordine, di una frase
- Rimettere in ordine logico le frasi, date in disordine, del testo
- Fare una sintesi orale e scritta del testo
- Raccontare vicende analoghe (in forma scritta e orale)
- Trovare musiche, canzoni, immagini relative al testo
- Fare una ricerca storica sull'argomento

La superstizione

Molte persone sono certe che per mezzo delle pratiche superstiziose si possano controllare o *esorcizzare* le forze del male.

Secondo una antica credenza popolare chi incontra lo sguardo di una persona cattiva può essere colpito da disgrazie e da malattie; per difendersi bisogna fare il gesto delle corna: il dito indice e il mignolo tesi sono simbolicamente diretti verso i suoi occhi per colpire e allontanare il male.

Perciò il ferro di cavallo, per la sua forma simile ad una mano che fa le corna, è considerato un portafortuna.

Quando passa un corteo funebre c'è chi si fa il segno della croce con la mano destra per raccomandare a Dio l'anima del morto e contemporaneamente fa le corna con la sinistra per tenere lontata la morte, mescolando un gesto religioso e uno superstizioso.

Nel folclore dell'Italia meridionale è conosciuto un personaggio tutto vestito di nero, dal cappello alle scarpe, magro, pallido, malaticcio, sempre desideroso di conoscere i fatti e le disgrazie degli altri e generoso di *condoglianze ipocrite*: è lo jettatore invidioso, colui che porta sfortuna, che getta il malocchio.

Per bloccare il suo fluido negativo si ricorre a gesti, ad azioni o ad oggetti considerati *scaramantici*: alcuni usano un corno rosso che tengono in tasca, a casa, in macchina; altri recitano velocemente sottovoce una formula; altri ancora si toccano i genitali.

Toccare ferro quando si parla di una disgrazia o quando si incontra uno iettatore serve a stabilire un contatto benefico con l'energia magica della natura; toccare la *gobba* di un uomo porta fortuna, perchè nella convinzione popolare lui è "toccato da Dio", e quindi è possibile trarre forza dalla sua anomalia.

Chi fa cadere del sale o dell'olio deve subito gettarne un pò per tre volte dietro la spalla sinistra, usando la mano destra: così il bene dominerà il male.

Il vino rovesciato a tavola, invece, soprattutto se si è fra amici, è per tradizione un invito all'allegria, alla gioia.

Il fatto è che, mentre l'olio e il sale erano costosi e sprecarli era un danno economico, il vino non è mai mancato, neanche nelle famiglie più povere.

Esorcizzare: liberare dal demonio; purificare dal male; allontanare un possibile fatto negativo.
Condoglianze: espressione verbale per partecipare al dolore di qualcuno per la morte di una persona cara.
Ipocrita: bugiardo, non sincero.
Scaramantico: parola, gesto, oggetto che libera o difende dal malocchio.
Gobba: rigonfiamento, curvatura innaturale della schiena.

Chi rompe uno specchio rende impossibile il contatto con le anime dei morti, che potrebbero arrabbiarsi causando sette anni di *guai*: bisogna allora gettare i pezzi nell'acqua, sostanza purificatrice, con le spalle voltate e facendo sempre passare la mano destra sopra la spalla sinistra.

Questi sono riti scaramantici, ma esistono anche quelli reintegrativi, cioè capaci di annullare un possibile evento negativo sostituendolo con uno positivo: chi, per esempio, scende dal letto con il piede sinistro (simbolo dell'ovest, del tramonto, della decadenza) deve risalire e scendere con il destro (simbolo dell'est, dell'alba e della vita che ricomincia).

Questo rito ha origine nella concezione circolare del tempo tipica degli antichi Indoeuropei: le azioni che prendono una direzione sbagliata possono essere "riavvolte" come una videocassetta e rivissute per il verso giusto.

Tutto ciò sembra *macchinoso*, difficile da comprendere, perché non ha una giustificazione razionale, ma per il superstizioso è di fondamentale importanza per il timore di conseguenze negative.

◆ **Questionario**

1) Che cosa è la superstizione?
2) Chi è lo iettatore?
3) A che cosa serve il corno rosso?
4) Perché, se si rovescia il vino, nessuno pensa ad una disgrazia?
5) Se si rompe uno specchio che cosa bisogna fare?
6) Che cosa è un rito reintegrativo?

◆ **Trovare delle espressioni che contengano le seguenti parole:**

Dito, indice, occhio, occhio, croce, scarpa, specchio, corna.
(Es. corna: *rompere le corna a qualcuno; prendere il toro per le corna, avere le corna; mettere le corna; dire peste e corna di qualcuno...*)

Guaio: problema, disgrazia, situazione negativa.
Macchinoso: complicato, complesso, misterioso.

◆ Scelta multipla

1) Con i gesti scaramantici si vuole
    a) dominare la natura
    b) tenere lontano il male
    c) fare del male

2) Lo iettatore
    a) porta fortuna
    b) è invidioso
    c) è un personaggio sfortunato

3) Per stabilire un contatto benefico con la natura
    a) si tocca ferro
    b) si tocca legno
    c) si fanno le corna

4) I pezzi di vetro vanno gettati nell'acqua per essere
    a) puliti
    b) lavati
    c) purificati

◆ Collegare i contrari

Grasso	malefico
Simile	irrazionale
Vestito	magro
Malato	dissimile
Generoso	nudo
Ipocrita	positivo
negativo	sincero
Benefico	avaro
Complesso	sano
Razionale	semplice

◆ Trovare per ogni nome delle qualificazioni adatte

Scarpa, macchina, casa, energia, gesto.
(Es. gesto: *brusco, improvviso, di comando...*)

◆ **Trovare almeno un sinonimo**

Grasso   ciccione, pingue, obeso
Conosciuto
Generoso
Ipocrita
Bloccare

◆ **Formare una famiglia di parole**

Occhio, destra, nero, economico, povero, tempo, indice, cavallo.
(Es. cavallo: *cavallerìa, accavallare, cavalleresco* ...)

◆ **Completare con le preposizioni**

    Toccare ferro quando si parla ... una disgrazia o quando si incontra uno iettatore serve ... stabilire un contatto benefico ... l'energia magica ... natura; toccare la gobba ... un uomo porta fortuna, perchè ... convinzione popolare lui è "toccato ... Dio", e quindi è possibile trarre forza ... sua anomalia.
    Chi fa cadere ... sale o ... olio deve subito gettarne un pò ... tre volte dietro la spalla sinistra, usando la mano destra: così il bene dominerà il male.
    Il vino rovesciato ... tavola, invece, soprattutto se si è ... amici, è ... tradizione un invito ... allegria, ... gioia.

◆ **Per la creatività e per la verifica**

• Completare delle frasi del testo con parole proprie
• Rimettere in ordine logico le parti, date in disordine, di una frase
• Rimettere in ordine logico le frasi, date in disordine, del testo
• Fare una sintesi orale e scritta del testo
• Raccontare vicende analoghe (in forma scritta e orale)
• Trovare musiche, canzoni, immagini relative al testo
• Fare una ricerca storica sull'argomento

Il caffè

"Il caffè, per essere buono, deve essere caldo come l'inferno, nero come il diavolo, puro come un angelo e dolce come l'amore".

Questa popolare definizione evidenzia le qualità che fanno del caffè una delle bevande preferite nel mondo.

È originario della regione africana di Amhara, in Abissinia, ma nessuno sa con certezza chi e in che modo l'abbia utilizzato per primo.

A tale proposito si raccontano numerose e simpatiche leggende: una di queste narra che Maometto, colpito dalla malattia del sonno, passava le giornate a dormicchiare e a sbadigliare; non pregava più, non lavorava più, ed amici e parenti erano molto preoccupati.

Una notte gli apparve un angelo e lo invitò a bere una bevanda di colore molto scuro e dal sapore deciso e forte: era il "kaweh", così gli disse l'angelo, che nella lingua araba vuol dire bevanda eccitante.

Si dice che grazie al kaweh Maometto riprese forza e vigore; i suoi *seguaci* poi diffusero la bevanda in tutto il Medio Oriente ed in alcune zone dell'Europa.

Nel 1500 i Portoghesi provarono a coltivarlo in Sudamerica, e la pianta trovò un ambiente così favorevole che il Brasile ben presto diventò il maggiore produttore mondiale.

A partire dal 1700 divenne una bevanda alla moda nell'aristocrazia e nella borghesia europea: ritrovarsi per sorseggiarlo insieme era un'occasione per fare nuove amicizie, per parlare di politica, di arte e di letteratura.

Proprio con il titolo "Il caffè" a Milano venne pubblicata nel 1764 una rivista che, secondo le nuove idee dell'*Illuminismo*, criticava le leggi, la lingua, gli usi, i modi di pensare *antiquati*, allo scopo di rinnovare la cultura italiana.

Ben presto si diffusero locali pubblici in cui si sviluppò l'abitudine di combinare la degustazione del caffè con la consumazione di dolci. Fra i primi va ricordato il "Caffè Procope" di Parigi, luogo di ritrovo per artisti ed intellettuali, aperto dall'italiano Francesco Procopio.

A Venezia, nel 1683, iniziò l'attività la prima "Bottega del caffè", che ben presto diventò uno dei luoghi d'incontro più noti della città, e che *ispirò* il grande commediografo veneziano Carlo Goldoni (1707-1793) per la sua commedia "La bottega del caffè".

Seguace: persona che segue un credo religioso, una filosofia o un maestro.
Illuminismo: corrente letteraria e filosofica del sec.XVIII.
Antiquato: superato, sorpassato, vecchio.
Ispirare: suggerire, consigliare.

A Napoli, invece, fra la fine dell'Ottocento e gli inizi del Novecento, si diffusero i "Caffè Concerto", nei quali ai clienti veniva offerto uno spettacolo musicale o un ballo.

I giovani borghesi *sperperavano* grandi somme di denaro per conquistare le *sciantose* più famose.

In Italia furono celebri, e lo sono ancora, numerosi Caffè: il Pedrocchi di Padova, il Florian di Venezia, il Gambrinus di Napoli, il Fiorio di Torino, il Greco di Roma, il Giannesi di Viareggio, il Michelangiolo di Firenze.

Il caffè diventò una bevanda popolare negli anni cinquanta, con il boom economico conseguente al rapido passaggio dalla civiltà contadina a quella industriale.

Prima il gesto di ospitalità tipicamente italiano era offrire un bicchiere di vino; il suo posto è stato poi preso dalla tazzina di caffè. Per moltissimi italiani ci sono momenti della giornata legati alla ritualità di un buon caffè: la mattina per svegliarsi, a metà mattinata come breve pausa nel lavoro, dopo il pranzo; a volte nel pomeriggio e, per chi non ha problemi di insonnia, anche dopo cena.

Ci sono molti modi di prepararlo e di gustarlo: c'è il caffè americano, quello alla napoletana, quello fatto con la *moka* e l'espresso.

Ma l'espresso può essere lungo, ristretto, normale, macchiato, freddo, *corretto*, decaffeinato, freddo, con la panna...

Il caffè è entrato in modo così profondo nella vita degli italiani da diventare protagonista di film ("Cafè express", Nanni Loy), di canzoni (D. Modugno, P. Daniele, F. De Andrè, F. Mannoia), di famosi spot televisivi, il più ricordato dei quali è "più lo mandi giù, più ti tira su", interpretato dall'attore Nino Manfredi.

Nei fondi del caffè, secondo alcuni, si può anche leggere il futuro: è nata così la pratica della *caffeomanzia*.

Napoli, infine, è conosciuta come la capitale del caffè.

Il grande gastronomo napoletano Vincenzo Corrado scriveva che "sebbene il caffè non sia un genere di prima necessità, per il napoletano lo è; è una bevanda amica che lo accompagna fin dall'infanzia, per sempre".

Sperperare: spendere il denaro senza riflettere.
Sciantosa: cantante del Caffè Concerto napoletano.
Moka: macchinetta per fare il caffè espresso.
Corretto: caffè con l'aggiunta di un pò di liquore.
Caffeomanzia: esame, analisi ed interpretazione delle figure create dai fondi di caffè rovesciati in un recipiente pieno d'acqua.

◆ Completare con le preposizioni

1) Quale popolo ha usato per primo il caffè?
2) Da quanto tempo è conosciuto in Italia?
3) Quanti modi esistono di gustare il caffè?
4) Che cosa è il caffè Concerto?
5) Da quando è diventato "bevanda nazionale" in Italia?
6) Che rapporto c'è fra Napoli e il caffè?

◆ Scelta multipla

1) La pianta del caffè è originaria
   a) del Brasile
   b) dell'Abissinia
   c) dell'Arabia

2) I seguaci di Maometto
   a) ignoravano l'uso del caffè
   b) ostacolarono l'uso del caffè
   c) diffusero l'uso del caffè

3) L'uso del caffè in Europa si diffuse nel
   a) 1500
   b) 1700
   c) 1683

4) "La bottega del caffè" è
   a) un locale pubblico
   b) il titolo di una commedia
   c) il titolo di un'opera musicale

5) Chi soffre d'insonnia
   a) deve bere poco caffè
   b) deve bere molto caffè
   c) non deve bere caffè

6) Il caffè è una bevanda
   a) utile
   b) necessaria
   c) amica

◆ **Trovare delle espressioni che contengano le seguenti parole:**

Mondo, leggenda, lingua, diavolo, angelo.
(Es. angelo: *faccia d'angelo, bello come un angelo, angelo custode, cantare come un angelo, essere un pò angelo, un pò diavolo, puro come un angelo, espressione angelica...*)

◆ **Trovare almeno un sinonimo**

Seguace   discepolo
Preoccupato
Certezza
Scuro
Rivista
Antiquato

◆ **Trovare per ogni nome delle qualificazioni adatte**

Caffè, notte, bevanda, città, spettacolo, ballo, canzone, sonno.
(Es. sonno: *leggero, pesante, tranquillo, agitato, ristoratore...*)

◆ **Formare una famiglia di parole**

Sonno, dormire, colore, vigore, amicizia, dolce, freddo, sapore.
(Es. sapore: *saporito/a, assaporare, insapore...*)

◆ **Completare con le preposizioni**

Il caffè diventò una bevanda popolare ... anni cinquanta, ... il boom economico conseguente ... rapido passaggio ... civiltà contadina ... quella industriale.

Prima il gesto ... ospitalità tipicamente italiano era offrire un bicchiere ... vino; il suo posto è stato poi preso ... tazzina ... caffè.

... moltissimi italiani ci sono momenti ... giornata legati ... ritualità ... "un buon caffè": la mattina ... svegliarsi, ... metà mattinata come breve pausa ... lavoro, dopo il pranzo; ... volte ... pomeriggio e, ... chi non ha problemi ... insonnia, anche dopo cena.

Ci sono molti modi ... prepararlo e ... gustarlo: c'è il caffè americano, quello ...napoletana, quello fatto ... la moka e l'espresso.

◆ **Per la creatività e per la verifica**

- Completare delle frasi del testo con parole proprie
- Rimettere in ordine logico le parti, date in disordine, di una frase
- Rimettere in ordine logico le frasi, date in disordine, del testo
- Fare una sintesi orale e scritta del testo
- Raccontare vicende analoghe (in forma scritta e orale)
- Trovare musiche, canzoni, immagini relative al testo
- Fare una ricerca storica sull'argomento

BIBLIOGRAFIA

Agenda E.N.I.T. (Ente Nazionale Industrie Turistiche) Ed. Pizzi, Milano, 1957

AA.VV. *Lo specchio e il doppio. Dallo stagno di Narciso allo schermo televisivo.* Ed. Fabbri, Milano, 1987.

AA.VV. *Il venerdì, il numero tredici e G.Rossini* in Archivio per lo studio delle tradizioni popolari, vol.VII, pp. 255-256, 1888.

AA.VV. *La terra degli Etruschi,* Ed.Scala, Milano, 1995.

AA.VV. *Feste e costumi,* Ed. I Quindici, U.S.A., 1964.

AA.VV. *Italia in bocca,* Ed. Il Vespro, Palermo, 1978.

P. BARTOLI, *Tocca ferro* (le origini magico religiose delle superstizioni su fortuna e sfortuna), Ed.T.P.A., Todi, 1994.

G. BELLUCCI, *Il feticismo primitivo in Italia e le sue forme di adattamento,* Ed.U.T.C., Perugia, 1907.

H. BIEDERMANN, *Enciclopedia dei simboli,* trad. dal tedesco, in particolare Gatto, pp. 215-216, Ed.Garzanti, Milano, 1991

G. BONOMO, *Caccia alle streghe,* Ed. Palumbo, Palermo, 1959.

C. CORRADINO, *Il vino, undici preferenze, in particolare il vino nei costumi dei popoli,* pp. 69-109, Ed.Loescher, Torino-Roma, 1880.

E. DE MARTINO, *La terra del rimorso,* Ed.Il Saggiatore.

Focus n. 54, A. DI STEFANO, *Mal cognome mezzo gaudio,* Ed. Mondadori, aprile 1997.

A.M. DI NOLA, *Gli aspetti magico-religiosi di una cultura subalterna in Italia,* Ed. Bordighieri, Torino, 1976.

C. Marchi, *Viva la pasta,* Selezione dal Reader's Digest, marzo 1984.

M. MONTANARI, *Alimentazione e cultura nel medioevo,* in particolare *Le virtù del sale,* pp.183-191, Ed. Laterza, Bari, 1988.

G. PITRE, *Curiosità di usi popolari,* in particolare *Il venerdì nelle tradizioni popolari d'Italia,* pp.53-105, Ed.Catania, 1902.

P. TOSCHI, *Lei ci crede?* Appunti sulle superstizioni, Ed. Radio Italiana, Torino, 1957.

Specchio n. 39, Ed. La Stampa, Torino, ottobre 1996.

Storia illustrata n. 11, Ed.Portoria, 1996.

INDICE

Appunti

Appunti

Finito di stampare nel mese di settembre 2000
da Guerra guru s.r.l. - Via A. Manna, 25 - 06132 Perugia
Tel. +39 075 5289090 - Fax +39 075 5288244
E-mail: geinfo@guerra-edizioni.com